For Conrad Rudolph,
with my best wishes,
[signature]
Santiago, 10th-X-00

El Pórtico de la Gloria

Manuel A. Castiñeiras

El Pórtico de la Gloria

SAN PABLO

Colección BIBLIOTECA JACOBEA
Dirigida y coordinada por *Carlos García Costoya*

Créditos de las fotografías:

Archivo del autor: 8, 18, 22, 26-27, 28-29, 34, 38, 40, 48, 63, 76, 79, 85.
Archivo San Pablo: 6, 9, 11 (sup. e inf.), 13, 30, 32, 33, 35, 36, 50, 57, 73.
Manuel A. Castiñeiras: 17, 45, 47.
Miguel Rojo: portada, 61, 72.

Distribución: SAN PABLO. División Comercial
Resina, 1. 28021 Madrid * Tel. 917 987 375 - Fax 915 052 050
ISBN: 84-285-2155-7
Depósito legal: M. 14.513-1999
Impreso en Artes Gráficas Gar.Vi. 28970 Humanes (Madrid)
Printed in Spain. Impreso en España

1. Una llamada al espectador

«Como a hurtadillas y siempre que nos era posible, gozábamos de recorrer las magníficas y espaciosas naves de la Catedral y contemplar su incomparable pórtico llamado de la Gloria, todo ello de lo más elegante, hermoso y perfecto del arte y gusto románicos»

Con estas emotivas palabras el padre Fidel Fita recordaba su visita a Santiago de Compostela en una memoria de viaje publicada en 1880[1]. Han sido muchos los escritores que han dedicado hermosas frases al pórtico principal de la catedral de Santiago, punto obligado de referencia a todo aquel que llega hasta la ciudad a la que Valle-Inclán consideraba «inmovilizada en un sueño de granito, inmutable y eterno». Desde las piedras del Pórtico algunos han querido a su vez «ollar as lontananzas», escudriñando los entresijos del pasado en un intento de devolver a dicho conjunto monumental sus primitivas voces, sus interlocutores certeros, sin saber que con

[1] P. Fidel Fita, *Recuerdos de un viaje á Santiago de Galicia,* Lib. Arenas, A Coruña 1993, 83 (primera edición en Madrid 1880).

ello también contribuían a activar nuevos significados a la obra. Para establecer un fructífero diálogo con el espectador, el Pórtico le ofrece a este no sólo la magnífica impresión de la visión de su conjunto, la belleza de sus relieves o la complejidad de su temática, sino también textos expuestos que dan respuesta a algunas de sus preguntas. A los dinteles con

Una vista general del monumental Pórtico de la Gloria.

la fecha de su colocación y el autor de la obra, y a las cartelas desplegadas por los protagonistas de una variada serie estatuaria con versículos bíblicos que anuncian la llegada del Mesías o la predicación apostólica, se suma el valioso documento guardado en el Archivo de la catedral por el que el rey Fernando II concede al Maestro Mateo una pensión semanal vitalicia de dos marcos de plata.

Una vez transcurrida la visión sintética, aunadora, tan característica de las portadas románicas, y que todavía el viajero actual experimenta al ponerse delante del conjunto, la mirada sufre el impacto de la inmensa estatua de Cristo mostrando sus llagas que preside el tímpano central. El Señor aparece aquí acompañado por un cortejo de ángeles que portan los *arma Christi,* los instrumentos de la Pasión, en una imagen que parece devolvernos por un solo instante un retazo de la espiritualidad medieval. No hay que olvidar que a lo largo del siglo XII se va a producir un cambio en la religiosidad que llevará a una mayor humanización de las figuras divinas, de manera que el antiguo Pantocrátor, solemne y juez, da paso a imágenes emotivas y sufrientes que intentan captar la benevolencia más que el terror del espectador. Fruto de un compromiso de innovar dentro de la tradición, leit-motiv que define el horizonte de expectativas del Maestro Mateo, la figura central del Pórtico, aun exhibiendo las llagas y con su torso semidesnudo, conserva todavía mucho del Panto-

El rostro de Cristo, en el tímpano, es una magnífica muestra de la humanidad de Cristo que se quiere mostrar en el conjunto de la obra.

crátor románico, por su excesiva dimensión, remarcada frontalidad, carácter masivo e impasividad retórica. Ello no impide, sin embargo, que la figura participe de una nueva espiritualidad, la cual se hace patente en las palmas de sus manos extendidas hacia nosotros y en la leve inclinación de su rostro y de su mirada, gestos que buscan potenciar la humanidad de Cristo y acortar la distancia con el espectador interaccionando con su propia emotividad.

En boca de muchos estaría entonces el célebre himno de san Bernardo, *Rhythmica oratio ad unum quodlibet membrorum Christi patientis et a cruce pendentis,* en que el abad cisterciense se prosternaba ante un Cristo sufriente dedicando una emotiva oración a cada una de sus llagas: «Ad pedes» (A los pies), «Ad genua» (A las rodillas), «Ad manus» (A las manos), «Ad cor» (Al corazón), «Ad latus» (Al costado), «Ad pectus» (Al pecho) y «Ad faciem» (Al rostro)[2].

[2] *S. Bernardi Rhythmica oratio ad unum quodlibet membrorum Christi patientis et a cruce pendentis,* PL 184, ed. J-P. Migne, París 1854, cols. 1319-1324 (reed. Brepols, Turnhout [Belgium] 1981).

Ancianos músicos del Apocalipsis.

Dicho texto —sobre el que llamó mi atención Francisco Luengo— fue reaprovechado y musicado en 1680 en un ambiente de pietismo por el compositor alemán Dietrich Buxtehude en forma de siete hermosas arias barrocas bajo el inequívoco título *Membra Iesu nostri*[3]. Resulta por lo tanto muy sugerente que en el Pórtico de la Gloria la exhibición de las llagas tenga un precoz acompañamiento musical, pues en la arquivolta central los 24 ancianos del Apocalipsis afinan entre murmullos sus fídulas, arpas, salterios y el *organistrum,* mientras que en el primer registro del tímpano un solemne cortejo celeste compuesto por ocho monumentales y enmudecidos ángeles muestra los objetos que infligieron las heridas al Señor durante la Pasión: allí están los clavos de los pies; la pesada cruz, causa de las magulladas rodillas; la lanza, que le hirió en el corazón y en el pecho; la columna y el flagelo, motivo de las llagas del costa-

[3] Dietrich Buxtehude, *Membra Iesu nostri,* D. Kilian (ed.), Berlín 1960, espec. 3.

do; y la corona de espinas, la esponja y el vino amargo, tormento de la frente y labios de su rostro.

Se trata, sin embargo, de una exposición que se presenta, de izquierda a derecha, perfectamente ordenada y con connotaciones narrativas a la luz del relato evangélico. A la izquierda, como primer acto de la Pasión en casa de Pilato, los ángeles portan la columna de la flagelación, la cruz y la corona de espinas, mientras que a la derecha se da un mayor protagonismo a los objetos incorporados en el Gólgota: los cuatro clavos y la lanza; la cartela con la sentencia y la jarra con el vino mezclado con hiel (¿o quizá el aguamanil de Pilato?); el flagelo de los azotes, único motivo de la casa de Pilato, si excluimos la sentencia de la crucifixión, cumplida realmente en el Gólgota; y, finalmente, la cartela con el título de la cruz y la caña con la esponja empapada en vinagre.

Este minucioso despliegue monumental de los *arma Christi* tuvo que ejercer una especial fascinación sobre el espectador. La sacralidad de estos objetos estaba vinculada a las reliquias de los mismos esparcidas por toda la cristiandad, de ahí que la mayoría de los ángeles las porten respetuosamente con sus manos veladas (cruz, corona, clavos), siguiendo un motivo habitual de la iconografía bizantina de la *hetimasia,* o que incluso las ofrezcan como ofrenda, como es el caso de la columna. Esta es sostenida por un ángel que se postra ceremonioso en el reducido espacio del extremo izquierdo del tímpano para

Ángeles portando los instrumentos de la pasión.

adaptarse a la curvatura del mismo en un estricto cumplimiento de la ley del marco que aquí, como en otros tantos ejemplos, se justifica también por razones de contenido mostrando así la pericia del escultor. Las reliquias evocarían a los peregrinos otros tantos lugares venerables: la corona de espinas donada por Carlos el Calvo a Saint-Denis, el flagelo de san Benito en Subiaco, la cruz mandada traer por santa Helena para la Santa Cruz de Jerusalén en Roma, la lanza conservada en San Pedro del Vaticano[4], o la célebre columna de la flagelación, reliquia con la *mensura Christi* —nótese que en el Pórtico tiene casi la misma altura que el travesaño vertical de la cruz— guardada en el *Patriarchum* de San Juan de Letrán, la cual había sido ya representada de manera muy minuciosa en el tímpano derecho de Platerías[5].

El contexto de la construcción del Pórtico de la Gloria es rico en referencias, ya que estamos en un momento de máxima difusión del culto a las reliquias «cristológicas» fomentado por el Reino latino de Jerusalén (1099-1187), cuya caída, anterior tan solo un año a la colocación de los dinteles del portal compostelano, provocará la tercera Cruzada. Prueba de la llegada de estos objetos a Galicia es el relicario dorado con el *Lignum Crucis* realizado en Jerusalén a mediados del siglo XII y guardado en la Capilla de las reliquias de la catedral de Santiago. No hay que olvidar tampoco que existía ya entonces en Galicia

---

[4] Sobre las citadas reliquias, cf Ch. Rohault de Fleury, *Mémoire sur les Instruments de la Passion de Notre-Seigneur Jésus-Christ,* París 1870, 209, 265, 274.

[5] M. A. Castiñeiras González, *Un adro para un bispo: modelos e intencións na fachada de Praterías, Cultura, poder y mecenazgo*, A. Vigo Trasancos (ed.), Santiago 1998 (*Semata* 10, 1998) (en prensa).

una presencia de las órdenes de Tierra Santa (Hospitalarios del Temple y de San Juan de Jerusalén) y que recientemente el rey Fernando II había fundado en 1170 la orden de Santiago, con base inicial en Cáceres. Todas ellas tenían como emblema la Cruz de Cristo, una iconografía entonces en alza que llegaría incluso a ser el escudo del vecino e incipiente Reino de Portugal bajo Alfonso Enríquez sobre todo a partir de 1172[6].

Lignum Crucis.

Desde el punto de vista iconográfico, S. Moralejo señaló que el cortejo de los ángeles del Pórtico tiene su precedente en un capitel procedente de Santa María de Aguilar de Campoo (Palencia) (1160-1170) (Madrid, Museo Arqueológico Nacional). En él, un Cristo similar al del Pórtico, sin mandorla, con medio torso desnudo y una ampulosa túnica que le cae sobre su brazo izquierdo, es acompañado por un cortejo de ángeles con las manos veladas que portan los brazos de la cruz, los clavos (frente), la lanza y la esponja (lados). El éxito de este tipo de iconografía en el occidente pe-

[6] R. BERLINER, *Arma Christi, Müncher Jahrbuch der bildenden Kunst,* VI, 1955, 35-152, espec. 41.

ninsular en fechas casi contemporáneas a las del Pórtico se constata en un capitel de Santa María de Lebanza, datado hacia 1185 (Fogg Art Museum, Harvard University, Cambridge, Mass.), en el que se incluye el tetramorfos y la cruz aparece ahora completa y sostenida por dos ángeles —lo que llevó a Linda Seidel a identificarlo como un temprano eco del Pórtico—, así como en un capitel del deambulatorio de la catedral de Santo Domingo de la Calzada[7]. Ejemplo este último muy sugerente, pues en este taller se ha querido ver el precedente estilístico del Maestro Mateo[8].

El contenido sacro del tímpano compostelano se acentúa a través de los dos ángeles con incensarios, de claro contenido funerario, que vienen a servir al Cristo de las llagas. Este, sin embargo, coronado, emerge entre ellos triunfante. Es el «rex gloriae» del Salmo 23,9 —«¡Oh puertas, alzad vuestros dinteles, alzaos, puertas eternas, que entre el rey de la gloria!»— acompañado de los signos de su triunfo, los *arma Christi,* con los que volverá en su segunda venida: «Entonces aparecerá en el cielo la señal del hijo del hombre; todas las tribus de la tierra se gol-

---

[7] S. Moralejo, *Le Porche de la Gloire de la cathédrale de Compostelle: problèmes de sources et d´interpretation,* Les Cahiers de Saint-Michel de Cuxa, 16 (1985) 92-116, espec., 96-97. Para los capiteles de Aguilar de Campoo y Lebanza véase D. L. Simon, *Two Double Capitals, Two Capitals,* en *The Art of Medieval Spain a.d. 500-1200,* fichas nn. 97-98, The Metropolitan Museum of Art, Nueva York 1993, 218-221.

[8] S. Moralejo, *o.c.,* 97.

pearán el pecho y verán venir al hijo del hombre sobre las nubes del cielo con gran poder y majestad»[9]. La procesión de los ángeles con los instrumentos de la Pasión adquiere así un sentido plenamente triunfal, de manera que esta exhibición de objetos puede parangonarse a la de los estandartes y trofeos en los monumentos triunfales romanos (Arco de Constantino, basa de la Columna de Arcadio). Como en Beaulieu, donde la cruz campea detrás del Cristo al que un ángel va a coronar, habría que invocar las palabras de Pedro el Venerable a propósito de la Visión de Mateo: «Quienes odien la cruz, porque hizo sufrir a Cristo, que la amen, porque no sólo a nosotros, sino a él mismo le procuró la gloria»[10]. De igual modo habría que citar a Isaías (11,12), que, presente en la serie estatuaria del Pórtico, nos proporciona una clave de interpretación de todo el conjunto cuando exclama: «Izará una enseña para las naciones y reunirá a los dispersos de Israel; a los prófugos de Judá convocará de los cuatro extremos de la tierra».

El tono escatológico del programa del conjunto no impide pues que continuamente se esté proclamando la humanidad de Jesús, bien a través de su cuerpo, bien a través de los instrumentos de su mar-

---

[9] Mt 24,30.

[10] Pedro el Venerable, *Contra Petrobrusianos,* PL 189, col. 782, citado en Y. Christe, *Le Portail de Beaulieu. Étude iconographique et stylistique,* Bulletin Archéologique du Comité des Travaux historiques et scientifiques, 6 (1970) 57-70, espec. 60.

tirio. De ahí que nada mejor que recurrir a la última parte del himno de Bernardo, en el que este imploraba como mortal la venida de Cristo para liberarlo: «Ya que yo debo morir, no me decepciones en esa hora, en esa hora tremenda de la muerte ven, Jesús, no tardes, para protegerme y liberarme».

2. El autor y su obra

El cierre occidental del Pórtico corresponde a lo que puede denominarse la tercera gran campaña de la catedral de Santiago. Esta fue iniciada posiblemente a principios de la década de 1160, bajo la administración de Pedro Gudestéiz, personaje recordado en la inscripción del cimacio de un capitel del tercer tramo de la tribuna de la nave norte, en la que se lee «GVDESTEO», y que llegará a ser arzobispo entre 1167 y 1173[11]. La finalización de los trabajos se produjo seguramente con la solemne consagración del templo el 11 de abril de 1211 por el arzobispo Pedro Muñiz, ceremonia de la que dan testimonio las doce cruces marmóreas conmemorativas incrustadas en los muros interiores de la basílica y ungidas aquel

[11] J. D'Emilio, *Tradición local y aportaciones foráneas en la escultura románica tardía: Compostela, Lugo y Carrión, Actas del Simposio Internacional sobre «O Pórtico da Gloria e a arte do seu tempo»* (Santiago de Compostela, 3-8 octubre de 1988), A Coruña 1991, 83-101; *The Building and the Pilgrims' Guide,* en J. Williams-A. Stones (eds.), *The Codex Calixtinus and the Shrine of St. James,* Tubinga 1992, 185-206.

Capitel con la inscripción de «Gudesteo».

día memorable. En esta fase de la obra (ca. 1160-1212) se concluyeron los últimos tramos de la nave —tres en su parte inferior y seis en las tribunas—, y se dispuso a los pies una estructura de claro sabor borgoñón, formada por dos torres gemelas flanqueando un pórtico abovedado de tres arcos y abierto al exterior para la que se han invocado los modelos de Vézelay, Saint-Benigne de Dijon, Paray-le-Monial y Saint-Lazare de Autun[12]. Dicho conjunto se apoyó sobre una cripta —denominada «catedral vieja»— que salvaba el gran desnivel existente en el lado occidental de la iglesia y que presenta una arquitectura relacionable con el primer gótico de la Île-de-France, con bóvedas de crucería cuatripartita, y una decoración escultórica —de rico follaje y uso del trépano— atribuida a un obrador de clara filiación borgoñona, muy en la línea de lo que entonces se hacía en Vézelay, piso superior del pórtico y sala capitular, en la nave de Saint-Lazare de Avallon, o en el pórtico occidental

[12] M. Ward, *Studies on the Pórtico de la Gloria at the Cathedral of Santiago de Compostela*, New York University, Nueva York 1978, espec. 26-77.

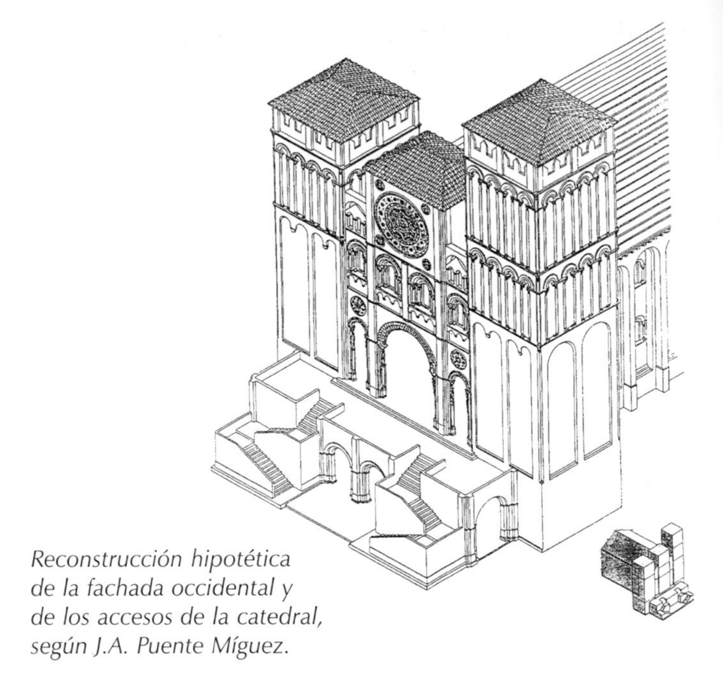

Reconstrucción hipotética de la fachada occidental y de los accesos de la catedral, según J.A. Puente Míguez.

de San Vicente de Ávila[13]. Según J. D´Emilio, dicho taller trabajó a su vez en los últimos tramos de las naves y tribunas junto a otro de carácter más local que le habría precedido allí en el inicio de las obras. En opinión del citado autor, ambos talleres estuvieron igualmente activos en Santa María del Sar[14].

El ambicioso proyecto del cierre occidental de la catedral de Santiago fue dirigido, según la inscripción de los dinteles del Pórtico, *a fundamentis* por el Maestro Mateo. Este, tal y como ha apuntado M.

---

[13] Ib.

[14] Cf obras citadas en nota 11.

Ward, sería posiblemente más un arquitecto-gestor o superintendente de obras que el escultor que en él siempre se ha querido ver. Dicha categoría parece avalada por un documento de 1168 en el que el rey Fernando II concede a «magistro Matheo, qui operis praefati Apostoli primatum obtines et magisterium»[15] («al Maestro Mateo que ostenta el lugar principal y el oficio de superintendente de las obras de Santiago»), una pensión semanal de dos marcos de plata, es decir, 100 maravedises anuales. En el contrato se especifica además que «hoc donum do tibi omni tempore vite tue semper habendum, quatinus et operi sancti Jacobi et tue inde persone melius sit et qui viderint prefato operi studiosius invigilent et insistant» («este salario te lo doy de por vida de modo que ello beneficie a la obra de Santiago así como a tu propia persona, y para que quienes supervisen dichas obras lleven cuidadoso control y las prosigan»). De todo ello se deduce que Mateo fue contratado como director de obras con objeto de terminar la catedral y que el salario que se le concedía servía para mantener a todo el grupo de canteros que estaba a su cargo. A esa misma condición de *magister operis* pertenecía el Maestro Raimundo, contratado de forma vitalicia por el cabildo de Lugo en 1129, y Benito Suárez, superintendente de obras de la catedral de Ciudad Rodrigo, al que Fernando II concede

[15] Archivo de la Catedral de Santiago, documento suelto, Cart. 7ª, nº 5.

el mismo año que a Mateo una suma igual: 100 morabetinos[16].

Los términos utilizados en la inscripción de los dinteles de la puerta central del Pórtico de la Gloria abundan en el mismo sentido: «†ANNO : AB : INCARNACIONE : DNI : MCLXXXVIII : ERA ICCXXVI: DIE : KL :/ APRILIS : SVPER : LIMINARIA : PRINCIPALIUM : PORTALIUM:/ ECCLESIE : BEATI : JACOBI : SVNT : COLLOCATA : PER : MAGISTRVM : MATHEVM :/ QVI : A : FVNDAMENTIS : IPSORVM : PORTALIUM : GESSIT : MAGISTERIUM» (En el año de la Encarnación del Señor, 1188, era de 1226, día de las calendas de abril, los dinteles del pórtico principal de la iglesia del Bienaventurado Santiago fueron colocados por el Maestro Mateo, que dirigió la obra desde sus cimientos).

Tanto la cripta como las naves del templo eran accesibles desde el exterior: la primera a través de una puerta doble, la segunda, mediante dos escaleras laterales de tres tramos cada una, cuyos restos aparecieron en unas obras de renovación del pavimento de la plataforma exterior en 1978[17]. De esta primitiva estructura se ofrece un testimonio elocuente en una traducción al gallego de parte del texto del *Códice Calixtino* contenida en el Ms. 7455 de la Biblioteca

---

[16] M. Ward, *o.c.*, 20-22.

[17] J. A. Puente Míguez, *La fachada exterior del Pórtico de la Gloria y el problema de sus accesos*, en *Actas del Simposio internacional sobre «O Pórtico da Gloria e a arte do seu tempo»*, *o.c.*, 117-142.

Nacional de Madrid, de fines del siglo XIV o inicios del XV, en el que el traductor interpola un dato obviamente no presente en la antigua descripción de la puerta occidental de la Guía que indica la existencia de muchas escaleras fuera y dentro: «A porta d'ouçidente ha duas entradas (...) et moytos de graaos de fora et de dentro...» (f. 41v). Dicha información confirma, en opinión de J. A. Puente Míguez, el uso de dos entradas con escaleras al Pórtico: la interior, a través de la cripta, y la exterior[18]. Dichos accesos fueron completamente remodelados en época moderna: en 1520 el Maestro Martín modifica las tres puertas de acceso al pórtico, en 1606 se dispone una nueva escalinata y finalmente el conjunto de la fachada del Obradoiro es transformado por Fernando de Casas en 1738. Por último, cabe señalar que la intervención del taller de Mateo se extendió por otras partes del templo quizás en un afán de remozar, monumentalizar y, en cierto modo, unificar el aspecto exterior del conjunto en función de su solemne consagración de 1211. Así, las ventanas de arcos lobulados del primer piso de la fachada de Platerías fueron enmarcadas por los arcos abocinados de tres arquivoltas de carnosa decoración vegetal, las cuales se apoyaron en trece columnas de fustes helicoidales —posiblemente inspiradas en las de la primitiva *Porta Francigena*—. A esa misma intervención pertenecen los óculos abiertos en

[18] Ib, 130, nota 33.

los hastiales de las fachadas del transepto, con un festoneado similar al que aparece en el Pórtico de la Gloria. Por todo ello cabe suponer que estos trabajos habrían incluido también una intervención en el primer piso de la desaparecida puerta norte.

O Santo dos Croques.

Este retrato del Maestro Mateo no estaría completo sin una referencia a una figura teñida de leyenda situada a los pies del Pórtico de la Gloria, de rodillas y mirando hacia el altar. Popularmente se le conoce como Santo dos Croques, y a él acuden los estudiantes en época de exámenes para golpearse la cabeza como remedio contra el olvido. Tal y como ha señalado Matilde Mateo, su identificación con un autorretrato del Maestro Mateo resulta bastante incierta y parece ser una invención de un escritor romántico del siglo XIX, Neira de Mosquera[19]. A este respecto, S. Moralejo ha llamado la atención sobre una nota marginal del

[19] M. Mateo Sevilla, *El descubrimiento del Pórtico de la Gloria en la España del siglo XIX*, en ib, 457-478, espec. 461.

Códice Calixtino añadida hacia el año 1400 que reconoce en esta estatua a la Matrona Compostela: «de muliere nomine compostela cuius imago est in poste ad caput Petri Moniz archiepiscopi» (f. 76r)[20]. La anotación aparece en el sermón *Veneranda Dies* (*Códice Calixtino,* I, XVII) junto al texto en el que se cuenta que dicha mujer, embriagada por el vino, se durmió, no pudiendo por ello avisar al apóstol Santiago cuando el Señor visitó la basílica. De ahí, según el texto, que el Apóstol maldijese a Galicia a no dar más vino en adelante, si bien está claro que el autor del sermón nació antes de la invención del Albariño. Su identificación con la Matrona Compostela explicaría el nombre que todavía se le daba a la figura en el siglo XIX —«Santiña da Memoria»— así como el origen del rito del cabezazo[21].

3. El programa iconográfico: las imágenes y sus textos

En su descripción de la basílica compostelana, la Guía del *Códice Calixtino,* compuesta hacia 1137, describe tres pórticos mayores esculturados bajo un mismo discurso iconográfico. Con dicha estructura for-

[20] S. Moralejo, *Prólogo,* en M. Mateo Sevilla, *El Pórtico de la Gloria en la Inglaterra victoriana. La invención de una obra maestra,* Min. Cultura, Santiago 1991, 13.

[21] Ib.

mada por la *Porta Francigena* (transepto norte), Platerías (transepto sur) —ambas realizadas bajo el gobierno de don Diego Gelmírez, entre 1105 y 1112— y la portada occidental, entonces todavía un proyecto, Santiago se anticipaba, como muy bien han señalado J. Bony y S. Moralejo, al esquema que caracterizará a las catedrales góticas francesas a partir de Chartres. Al construir finalmente Mateo la portada occidental, este tuvo cuidado en completar un discurso iconográfico que había sido iniciado en las fachadas del transepto y que se presentaba como una síntesis de la historia del género humano con sus capítulos dedicados a la caída y promesa de redención —puerta norte—, su cumplimiento —puerta sur— y el Juicio y la Gloria que acompañan a la segunda parusía —portal occidental—[22]. Se trata, pues, de una Biblia en piedra dividida en tres: la humanidad *ante legem,* es decir, el Antiguo Testamento; la humanidad *sub lege,* el Evangelio, y, por último, el final de los tiempos: el Apocalipsis.

El magnífico portal occidental a tres arcos —conocido como Pórtico de la Gloria (1168-1188)— compone uno de los espacios figurados más hermosos del arte del siglo XII. Su programa iconográfico gira en

---

[22] J. M. Azcárate, *La Portada de Platerías y el programa iconográfico de la catedral de Santiago,* Archivo Español de Arte 36 (1963) 1-20, espec. 6; S. Moralejo, *La primitiva fachada norte de la catedral de Santiago,* Compostellanum XIV (abril 1969) 623-668, espec. 659; *Saint-Jacques de Compostelle. Les portails retrouvés de la cathédrale romane,* Les dossiers de l'archéologie 20 (1977) 87-103, espec. 98-99.

torno a la Segunda Venida, con la descripción del Juicio Final y de la Gloria a partir de las visiones de Mateo 24,29-31; 25,31-46 y del Apocalipsis 4-5. En la arquivolta interna del arco izquierdo se representa entre un follaje paradisíaco la bajada de Cristo al Limbo para rescatar a los personajes del Antiguo Testamento: Jesús imberbe, coronado y bendiciente, aparece en medio de los desnudos Adán y Eva, a los cuales acompañan ocho figuras, siete de ellas con corona, que representarían a patriarcas del Antiguo Testamento (Noé, Abrahán, Esaú, Jacob, Moisés, David) y las tribus de Judá y Benjamín. Según R. Silva Costoyas, a las otras diez tribus les correspondería la arquivolta exterior, donde son representadas oprimidas por el toro del arco debido a su cautiverio en Babilonia. Si bien la lectura de la bajada al Limbo ya había sido formulada por E. A. Roulin, A. Buschbeck y más recientemente por S. Moralejo, hay que reconocerle a R. Silva Costoyas el mérito de haber propuesto una sugerente identificación para cada una de las figuras —enunciada en parte por A. López Ferreiro al interpretarlas como una representación del pueblo judío[23]— así como el de aportar una referencia textual digna de ser tenida en cuenta. Según dicho autor, la composición seguiría el Apocalipsis de Esdras, el cual fue transmitido y se leyó durante bastante tiempo con el Apocalipsis de

[23] A. López Ferreiro, *El Pórtico de la Gloria, Platerías y el primitivo altar mayor de la Catedral de Santiago,* Santiago 1999 (1892), 67-68.

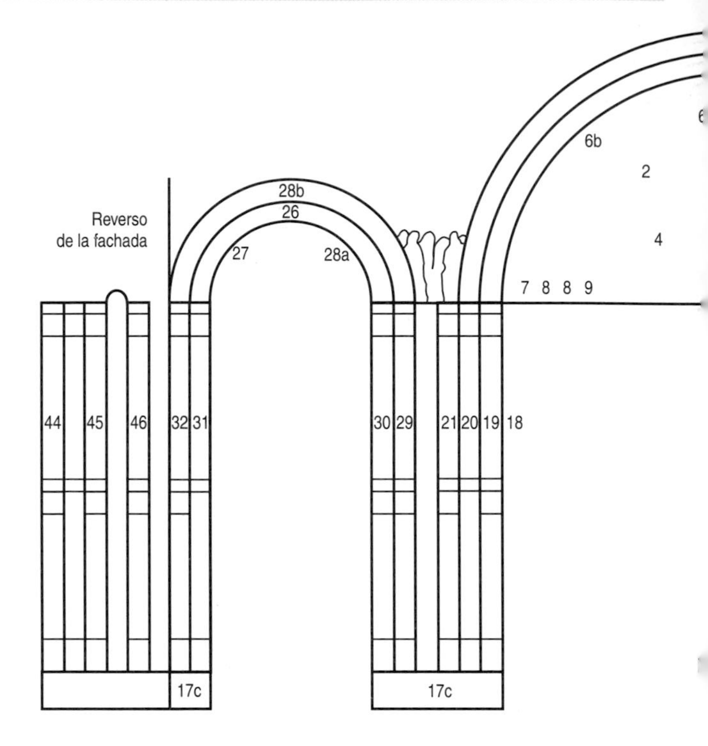

¿Quién es quién?

1. Cristo mostrando las llagas
2. San Juan escribiendo sobre el águila
3. San Mateo alado escribiendo
4. San Lucas escribiendo sobre el toro
5. San Marcos escribiendo sobre el león

6a. Ángeles con incensarios
6b. Los elegidos coronados

7. Ángel con la columna
8. Ángeles con la cruz
9. Ángel con la corona de espinas
10. Ángel con los cuatro clavos y la lanza
11. Ángel con la sentencia de crucifixión y la jarra de vino mezclado con hiel
12. Ángel con el flagelo
13. Ángel con la caña y la esponja y la cartela de INRI
14. Los veinticuatro ancianos del Apocalipsis

15a. Capitel con las Tentaciones de Cristo en el desierto
15b. Estatua sedente del apóstol Santiago con báculo en tau

16. Capitel con la Santísima Trinidad

17a. Fuste con el árbol de Jesé
17b. Daniel en el foso de los leones
17c. Zócalo con monstruos inspira-

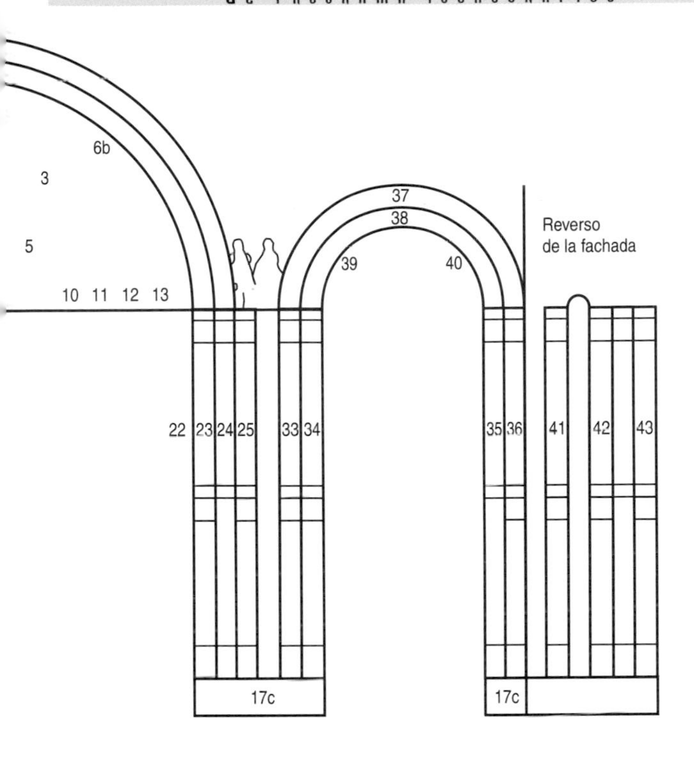

do en la Visión de las cuatro bestias de Daniel (7,4-8)

18. Moisés con las tablas de la ley
19. El profeta Isaías
20. El profeta Daniel
21. El profeta Jeremías
22. San Pedro con las llaves
23. San Pablo con un libro abierto
24. El apóstol Santiago con báculo en forma de tau
25. San Juan con un libro abierto
26. Cristo desciende al Limbo
27. Adán, Noé, Abrahán, Esaú, Jacob
28a. Eva, Moisés, David, Tribus de Judá y Benjamín
28b. Las Diez tribus de Israel cautivas
29. ¿El profeta Oseas?
30. ¿El profeta Joel?
31. ¿El profeta Amós?
32. ¿El profeta Abdías?
33. ¿San Mateo?
34. ¿Santiago el Menor?
35. ¿San Bartolomé?
36. ¿Santo Tomás?
37. Cristo
38. Arcángel San Miguel
39. Los Justos en el seno de los ángeles
40. Los condenados en el Infierno
41. ¿San Judas Tadeo?
42. ¿Virgilio?
43. San Juan Bautista
44. Reina de Saba
45. Sibila Eritrea
46. Balaam

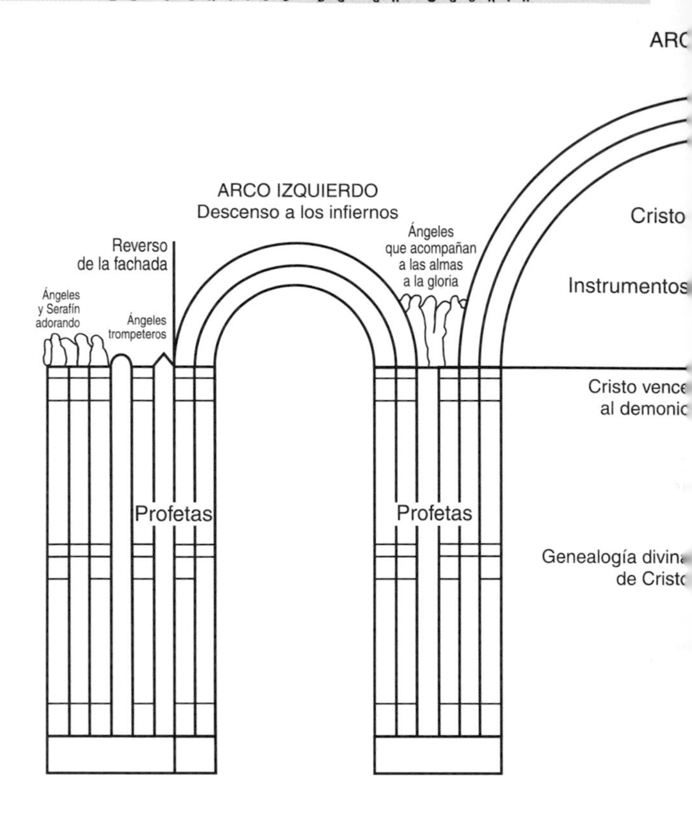

san Juan hasta que se consideró apócrifo, si bien la liturgia romana emplea todavía muchos textos de dicho libro[24].

[24] R. Silva Costoyas, *El Pórtico de la Gloria. Autor e interpretación,* Santiago 1999 (1965) 168-175. Sobre el Apocalipsis de Esdras, denominado también 4 Esdras, compuesto después de la destrucción de Jerusalén ca. 557 a.C., véanse: R. H. Charles, *The Apocrypha and Pseudepigrapha of the Old Testament in English. II. Pseudepigrapha,* Oxford 1977 (1913), 542-624; A. Díez Macho, *Apócrifos del Antiguo Testamento,* Cristiandad, Madrid 1984, 250-258.

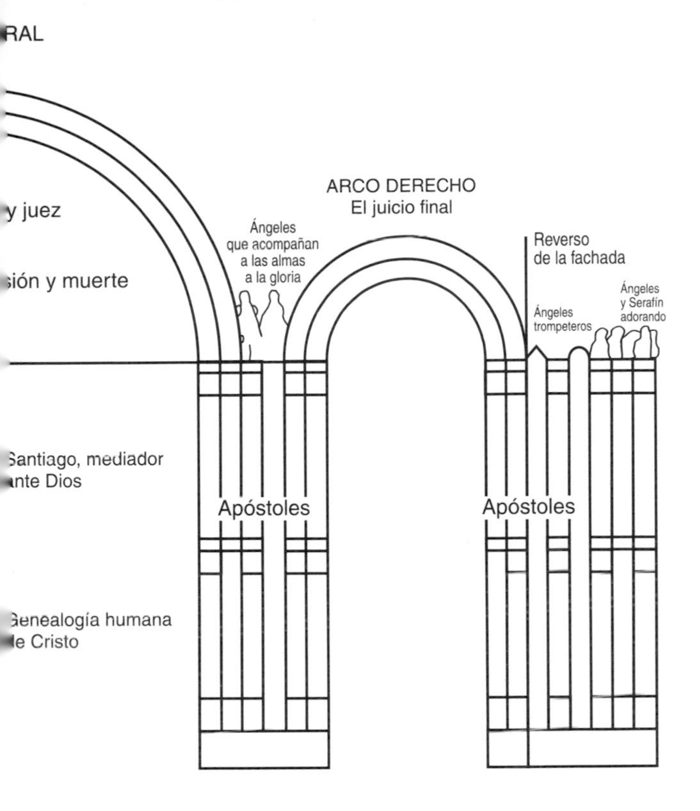

Por su parte, el arco derecho está dedicado al juicio final, en el que Cristo y san Miguel, figurados en busto en las claves, separan a los elegidos, a su derecha, de los condenados, a su izquierda (Mt 25,31-46). Ambas figuras sostienen dos cartelas para las que puede ofrecerse una explicación: las de Cristo posiblemente tenían un texto similar al inscrito en la misma figura en el Pórtico del Paraíso de Ourense, copia del portal compostelano («Venite, benedicti Patris

El arco izquierdo o norte reproduce el descenso a los infiernos.

mei», en el lado de los elegidos; «Ite, maledicti, in ignem eternum», en el lado de los condenados), mientras que las que porta san Miguel se corresponderían con las fórmulas derivadas del derecho romano —«Peticius» y «Postulacius»— que suelen portar los arcángeles Miguel y Gabriel en los ciclos pictóricos murales catalanes (Santa Maria de Cap d´Aran) e italianos (San Vincenzo a Galliano) como defensores de las almas buenas. Existe, por otra parte, una reiterada serie de cartelas que acompañan a las almas desnudas en su paso de los arcos laterales a la contemplación de la Gloria del tímpano central que posiblemente hagan referencia al Libro de la Vida del Apocalipsis 20,12-15, en el que están anotadas nuestras obras: «Los muertos fueron juzgados según el contenido de los libros, cada uno según sus obras... y el que no fue encontrado escrito en el libro de la vida fue arrojado al estanque de fuego»[25]. De ello se hace eco el himno *Dies Irae* atribuido a Tomás de Celano: «Liber scriptus proferetur/ In quo totum continetur/ Unde mundus judicetur...» («Se muestra el libro escrito, que contiene todo para juzgar al mundo...»). Resucitan entonces los muertos de sus tumbas, tal y como se ve en la columna torsa de mármol que está bajo san Pablo en el lado derecho del arco central.

[25] R. Silva utiliza también este texto pero se lo atribuye al Cristo del juicio final (cf *o.c.*, 223, 228-229).

El arco derecho o sur representa el juicio final.

Por su parte, el arco central se dedica a la segunda parusía, la aparición de Cristo resucitado y triunfante al final de los tiempos, que ya se ha comentado en la introducción. Cristo aparece rodeado de los evangelistas, de los elegidos, de dos ángeles con incensarios y de los ángeles con los instrumentos de la pasión. Tal y como ha señalado S. Moralejo, a excepción de Mateo representado como ángel, con paralelos en Moradillo de Sedano, Santo Domingo de Soria y precedentes en la pintura catalana (Sant Climent de Taüll), el resto de los Evangelistas se representan de una forma muy peculiar, pues escriben utilizando a los vivientes del Apocalipsis (4,6-7) como pupitre: Juan con el águila, Lucas con el toro y Marcos con el león. Para dicho autor, los antecedentes de esta fórmula están en dos placas de marfil otonianas, del segundo cuarto del siglo XI, conservadas en Essen y Bruselas[26]. A ambos lados de los evan-

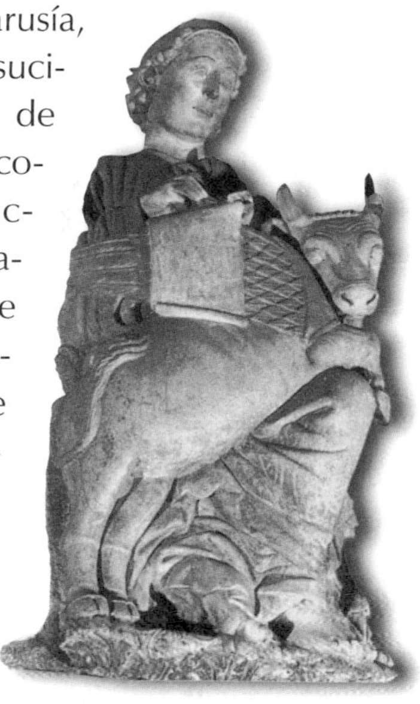

El evangelista Lucas.

[26] S. Moralejo, *Le Porche de la Gloire, o.c.*, 98, n. 21, figs. 5, 6.

Ángel trompetero del juicio final.

gelistas se encuentran sedentes los elegidos (Ap 20,4), también coronados, y en la arquivolta, de forma radial, los 24 ancianos «con coronas de oro en las cabezas» (Ap 4,4) a punto de entonar «un cántico nuevo» (Ap 5,9). Mientras tanto, los ángeles del juicio, situados en las partes altas de las cuatro esquinas del Pórtico, se agitan haciendo sonar sus tubas: «Y mandará a sus ángeles con potentes trompetas y reunirán de los cuatro vientos a los elegidos, desde uno a otro extremo del mundo» (Mt 24,31). En esa esfera celeste, justo enfrente del tímpano, sobre las columnas de la contrafachada, dos parejas de ángeles adoran al Cristo de la Segunda Venida junto a los dos serafines de la visión de Isaías (6,2-3).

A los pies de Cristo está el capitel con las tentaciones de Cristo (Mt 4,1-11), imagen como en Beaulieu, de su primera victoria sobre la muerte. Ese triunfo es explicitado en la tercera tentación a través de unas cartelas que reproducen el diálogo entre el Señor y el Diablo a partir de Mateo 4,9-10: «Hec o[mni]a t[ibi] dabo si cade[n]s adora[veris me]/ [Vade]

Sathanas»[27]. Dicho capitel corona un parteluz, al que se le ha adosado la estatua del apóstol Santiago, sedente en una silla curul sobre leones, y con el báculo apostólico en tau de los arzobispos compostelanos. Este descansa sobre la columna del Árbol de Jesé, con la genealogía de Cristo que culmina en una Trinidad Paternitas: «Un brote saldrá del tronco de Jesé, un vástago retoñará de sus raíces. Sobre él reposará el espíritu del Señor» (Is 11,1-2). Como basa del parteluz se figura un hombre, con barba y larga cabellera, que abraza dos monstruosos leones y se encarama sobre ellos, lo que hace que sus pies desnudos sean

[27] A. López Ferreiro, *o.c.*, 77, n. 33.

Árbol de Jesé, con la genealogía de Cristo.

visibles desde la parte posterior del zócalo. Se han vertido muchas interpretaciones en torno a la figura, de las cuales no habría que descartar la de A. Kingsley Porter y J. M. Pita Andrade, que veían en él una representación de Daniel (6,16-17) en el foso de los leones[28]. Composiciones similares decorando basas se encontraban en obras muy cercanas al Pórtico cronológicamente — el destruido *ciborium* pétreo de Santa María de Ripoll (basa A), el deambulatorio de San Pedro de Besalú, la fachada de Saint-Trophime de Arles[29]—, por lo que dicha lectura no parece improbable si a ello sumamos que los monstruos que pueblan los zócalos de toda la estructura del Pórtico pudieran estar relacionados con la visión de las cuatro bestias de Daniel (7,4-8), un relato de tono escatológico, que

[28] A. K. Porter, *La escultura románica en España* II, Barcelona 1928, 66, n. 929.

[29] Véanse X. Barral i Altet, *La sculpture à Ripoll au XIIe siècle,* Bulletin Monumental 131 (1973) 311-359, espec. 317, 329, figs. 4, 5, 18; W. S. Stoddard, *The Façade of Saint-Gilles-du-Gard. Its Influence on French Sculpture,* Wesleyan University, Wesleyan 1973, 293, fig. 409.

sigue precisamente a la narración del foso. De hecho comparecen algunos motivos de la visión: el oso (la segunda bestia de Daniel), situado el primero en el lado derecho del arco central, leones (primera bestia), o monstruos alados que devoran (cuarta bestia). No se trata, sin embargo, de una correspondencia exacta con el texto, sino más bien de una evocación, motivada posiblemente por la inspiración del artista en modelos tomados del ciclo veterotestamentario con objeto de componer un significativo zócalo que está siendo aplastado por el peso de la Jerusalén celeste. De hecho, la repetición, en las basas del machón situado entre el arco central y el derecho, del ahora gigante personaje masculino, que mete sus manos en la boca de los monstruos, mientras las plantas de sus pies se ven por la parte posterior del zócalo, recuerda una vez más un pasaje del Libro de Daniel, el sueño de Baltasar (4,22), en el que el hombre-bestia, a cuatro patas, mora entre los animales del campo, tal y como se representa en la Biblia de Rodes (París, BN Ms. Lat. 6, III, f. 65v).

Por último, en las columnas de los arcos se representa una serie estatuaria que se continúa en la contrafachada para producir el efecto de una arquitectura habitada que hace que el espectador se sienta inmerso en la escena de una representación teatral. El orden de su disposición, los textos de sus cartelas y detalles de su indumentaria y caracterización han llevado a S. Moralejo a proponer una lectu-

Profetas del arco central del Pórtico. De izquierda a derecha, Jeremías, Daniel, Isaías y Moisés

ra de los mismos a partir del *Ordo prophetarum,* drama litúrgico ampliamente representado en las iglesias medievales, en el que comparecen profetas del Antiguo Testamento y adivinos de los gentiles[30]. De ahí que Moisés, con las tablas, encabece el cortejo, seguido de Isaías —sobre una columna con el sacrificio de Isaac—, Daniel y Jeremías (lado izquierdo del arco central), o que en el desfile de la contrafachada se incluyan algunos personajes «paganos»: Balaam, en el extremo norte, la sibila cumana, la reina de Saba y Virgilio, con manto afiblado sobre una holgada túnica, entre san Juan Bautista y san Judas Tadeo[31]. Dos ángeles con sus cartelas en las mochetas del arco central nos presentan a todos los componentes de la serie estatuaria del Pórtico: el de la izquierda introduce a los citados profetas («Prophetae predicaverunt naci Salvatorem de Virgine Maria»), el de la derecha, a los apóstoles («Isti sunt triumphatores, facti sunt amici Dei»)[32] . Estos últimos comparecen en el siguiente orden: san Pedro, con las llaves, san Pablo —sobre una columna con la resurrección de los muertos—, Santiago el Mayor y san Juan. En las arcadas laterales no se puede establecer una identificación precisa de los personajes, si bien está claro que en la de la izquierda se sitúan cuatro profetas, mientras que en la de la derecha hay cuatro apóstoles, dos de

[30] S. Moralejo, *El Pórtico de la Gloria,* FMR 21 (1993) 28-46.

[31] Ib.

[32] R. Silva, o.c., 198, 200.

Apóstoles del arco central del Pórtico: Pablo, Santiago y Juan.

ellos con libro, que han de ser san Mateo y Santiago el Menor. A nadie se le escapa que Santiago el Mayor, santo patrón de Compostela, se haya representado dos veces: en el parteluz, con una cartela que reza «MISIT ME DOMINUS», y en el lado derecho del arco central, con este elocuente texto: «Deus autem incrementum dedit in hac regione» («y Dios dio crecimiento a esta región»), una buena divisa, tal y como señala R. Silva, para el apóstol que otorgó tantos favores a Galicia[33].

4. Internacionalismo y compostelanismo en la obra del Pórtico

Las evidentes vinculaciones con el románico francés, tanto en estilo como en iconografía, han llevado a sugerir un origen galo para el propio Maestro Mateo o al menos un conocimiento directo por parte de este de ejemplos franceses. A la portada sur de Beaulieu (ca. 1150) remite el Cristo que muestra las llagas con el torso semidesnudo, los animales en las basas, los ángeles con los instrumentos de la Pasión y el capitel con las Tentaciones de Cristo. A su vez los hombres devorados por animales monstruosos del zócalo remiten también a los que aparecen bajo las

[33] Ib, 201-202.

estatuas-columnas de las soberbias fachadas del románico provenzal en Saint-Gilles-du-Gard y en Saint-Trophime de Arles. Si los 24 ancianos con los instrumentos colocados en forma radial se encuentran en Santa María de Oloron, Saintes y Saint-Pierre de Aulnay (puerta sur); la arquivolta derecha, con los elegidos (ángeles que portan almas) y los réprobos dispuestos en forma tangencial y divididos por la cabeza de Jesús, tiene un paralelo en la primera arquivolta de la puerta central de la fachada occidental de Saint-Denis (ca. 1135). En el tímpano de esta última iglesia encontramos, tal y como ha señalado J. M. Pita Andrade, elementos afines al Pórtico: un Cristo con el torso desnudo mostrando las llagas rodeado de ángeles que llevan la cruz, la corona de espinas y los clavos, un arquitrabe con la resurrección de los muertos, mientras que las arquivoltas se pueblan con las efigies de los 24 ancianos músicos del Apocalipsis. La solemne presencia de Santiago en el parteluz con insignias episcopales tiene a su vez un precedente en Autun, donde una estatua del también santo titular de la iglesia, Lázaro, preside como obispo el parteluz. A estas referencias galas, habría que añadir otros extraños paralelos, como el señalado por S. Moralejo a propóstio de la columna marmórea con el Árbol de Jesé también presente en la fachada de San Martín de Lucca[34].

[34] S. Moralejo, *Le Porche de la Gloire, o.c.*, 106.

De todo ello se deduce que el autor o ideador del programa del Pórtico era conocedor de las últimas innovaciones del románico en Francia. El internacionalismo de la Compostela del siglo XII haría que el Camino de Santiago funcionase como canal de transmisión de muchos de estos hitos: Oloron, Saint-Gilles y Arles están en la *via tolosana;* Autun, en un camino que conecta con Nevers, enclave de la continuación de la *via limosina* hasta Vézelay; Saint-Denis, Aulnay y Saintes, en la *via turonensis* y su prolongación, y Beaulieu, muy cerca de la *podensis*. A este conocimiento del arte del Camino de peregrinación hay que sumar el bizantinismo del conjunto compostelano, subrayado por E. H. Buschbek en 1919, cuya teoría ha sido desarrollada con estusiasmo en los estudios de M. Ward, S. Moralejo y D. Ocón. Ese bizantinismo es visible en el tratamiento realista de los rostros, vestimentas y posturas de los apóstoles y profetas, siendo patente en las figuras de Moisés e Isaías, que M. Ward comparó con las que de estos personajes bíblicos hay en Nerezi. De hecho, el realismo en el uso del color (carnaciones, blanco de los dientes), la variedad fisionómica y la profundidad de la psicología de sus rostros, que alcanza el *pathos* en el caso de Isaías, es algo propio del arte bizantino entre los siglos X y XII[35]. A ese bizantinismo, llegado quizás a través de Inglaterra, Renania o

[35] M. WARD, *o.c.*, 152-157.

Sicilia, se añade el conocimiento del primer gótico, en particular, Senlis, sobre todo en la nueva relación de las figuras con el espacio en el caso de los ancianos del Apocalipsis[36]. Todo ello convierte a Compostela en otro de los grandes centros catalizadores del arte de fines del siglo XII o 1200, tal y como ha señalado W. Sauerländer.

No obstante, no hay que olvidar, siguiendo las ideas de G. Gaillard y J. M. Pita Andrade, que dentro de este eclecticismo internacionalista se aprecia una importante deuda de la tradición hispano-tolosana del románico pleno. A las portadas del transepto de la catedral de Santiago remite la moldura en baquetón de las jambas continuada en las mochetas en el arco central, el empleo combinado de mármol (columnas torsas y parteluz) y granito, la presencia de fustes entorchados, el altorrelieve de las figuras, las estatuas de jamba y el naturalismo de cuerpos y cabezas, ya presentes en las obras del Maestro de Platerías (Creación de Adán) y en el de la Transfiguración, cuyo Santiago descaderado sobre animal fue el modelo del segundo profeta del lado norte del arco izquierdo. Habría que señalar incluso la repetición de temas como las tentaciones de Cristo —que enlaza con el programa de Platerías—, los ángeles trompeteros del Juicio, o los *arma Christi* de la columna, la corona y la cruz, también presentes en el

[36] Ib, 161.

Alzado del Pórtico, visto desde la nave, en el que se puede observar el dintel pentagonal utilizado en el anverso del tímpano.

ciclo de la Pasión de dicha portada meridional. A su vez el desarrollo de la serie de estatuas-columnas, con su diálogo en parejas, su monumentalidad en forma de placa, la receta recurrente de la pierna cruzada o doblada (Daniel, Jeremías, Pablo, Santiago, Juan, apostol del lado derecho del arco derecho) y la creación de un espacio arquitectónico habitado, ha de vincularse al Apostolado de Gilabertus para decorar el interior de la sala capitular de Saint-Étienne de Toulouse (1125-1135), una fórmula que según L. Seidel se retoma en parte en la cámara santa de Oviedo[37], monumento, por otra parte, muy próximo a Mateo. Todo ello hace que las innovaciones del Pórtico más arriba señaladas se sientan siempre condicionadas por la propia tradición compostelana, a la cual el Maestro Mateo hizo también cita explícita cuando utilizó un inmenso dintel pentagonal en el anverso del tímpano central del Pórtico, cuya estructura es perfectamente visible desde las naves de la catedral y que se repite en las puertas de acceso desde las naves a la cripta. Se trata de una tipología auvergnate presente en la primera campaña del deambulatorio. Algo similar ocurre con el ábside-nicho de la cripta, de planta cuadrada y con triple ventana formada por un arco de medio punto y dos en mitra, al igual que la primera capilla de la cabecera de la catedral. Dicha fórmula de los arcos en mitra

[37] L. Seidel, *Romanesque Sculpture from the Catedral of Saint-Étienne, Toulouse,* Nueva York-Londres 1977 (1964) 67, 97, n. 58, fig. 48.

Ábside-nicho de la cripta del Pórtico.

Dibujo de José Vega y Verdugo (1655-1657).

está presente en la segunda campaña de la catedral en el hastial de la fachada del transepto norte y es fruto de una influencia del arte de Auvergne, el Velay, el Nivernais y Conques[38]. Mateo utiliza incluso este motivo a ambos lados del piso superior del cuerpo central de la fachada exterior del Pórtico, cuyo aspecto se conoce en parte gracias a un dibujo de José Vega y Verdugo, de 1655-1657 aproximadamente, conservado en la catedral de Santiago. En él se aprecian todavía los dos arcos en mitra que albergaban

---

[38] J. M. Gómez Moreno, *El arte románico español. Esquema de un libro,* Madrid 1934; S. Moralejo, *Notas para una revisión de la obra de K. J. Conant,* en K. J. Conant, *Arquitectura románica de la catedral de Santiago de Compostela,* COAG, Santiago 1983.

tres arcos coronando las calles laterales del cuerpo central, una solución muy similar a la que se encontraba en la fachada de otro centro de peregrinación por antonomasia: la catedral de Notre-Dame du Puy en el Velay. Todo este cúmulo de citas nos da pues el perfil de un maestro de obras criado en la tradición local, pero que además entró en contacto con una amplia gama de obras foráneas, bien a través de un conocimiento directo, bien mediante la contratación de canteros de diversas partes, como queda claro en la cripta, donde la filiación borgoñona resulta indudable.

Desde el punto de vista del estilo, M. Stokstad distingue tres manos principales en el conjunto del Pórtico: la tardorrománica, correspondiente a profetas y apóstoles; la del primer gótico —Santiago del parteluz, columnas de mármol y los 24 ancianos— y una última «estática» y masiva, representada por las monumentales figuras de Cristo, el tetramorfos y los ángeles con los *arma Christi,* fruto quizás de un uso modal del estilo que pretende presentarnos una divinidad despersonalizada.

De la fachada exterior se conservan restos decorativos esparcidos entre el Museo de la catedral, el Museo de Pontevedra y colecciones particulares. Del Museo de la catedral de Santiago destacan las dovelas internas del arco central, con decoración de arcos trilobulados unidos por motivos de tracería en pinza de tipo almohade, así como las dovelas con el casti-

Restos de la fachada exterior del Pórtico, del Maestro Mateo, que se conservan en el Museo de la catedral.

go de la lujuria en su versión masculina y femenina, las cuales posiblemente procedan del arco derecho, en el que de algún modo se anunciaban las penas infernales crudamente expuestas en el mismo arco en el Pórtico de la Gloria. Por su parte, si la disposición longitudinal de la decoración de ambos arcos derechos vuelve a llevarnos a la fachada occidental de Saint-Denis, la iconografía de la mujer mordida en sus senos por la serpiente, imagen arquetípica del castigo de la Lujuria en el Románico, muestra las deudas mateanas con el arte del Camino de peregrinación, pues no deja de recordarnos a la lujuria del portal de San Pedro de Moissac y a todas cuantas figuran en los relieves románicos del Románico hispano (Sangüesa, San Andrés de Rioseco, etc). Por último, cabe citar las estatuas-columnas con personajes veterotestamentarios que formarían parte de esa fachada exterior. David y Salomón se encuentran en el pretil del Obradoiro, mientras que Abrahán e Isaac pertenecen a la colección particular de la duquesa de Franco en la Casa Cornide de A Coruña. Sobre las tres puertas se abrían tres rosetones, una fórmula que será copiada, como gran parte del conjunto, en la fachada occidental de la catedral de Ourense. El arte de los talleres mateanos tendrá una amplia difusión tanto en Galicia como en los reinos de Portugal, León y Castilla.

5. La función de la obra

Su inauguración el 1 de abril de 1188 —viernes de la cuarta semana de Cuaresma – ha llevado a S. Moralejo a pensar en un posible trasfondo litúrgico pascual, el cual parece confirmado por la presencia de ángeles con los instrumentos de la Pasión, que evocarían el Canto de los Improperios en la liturgia del Viernes Santo[39]. Igualmente sugerente resulta el hecho de que en el *Mitrale* de Sicardo de Cremona, el domingo de la cuarta semana de cuaresma está dedicado a «La Nueva Jerusalén» invocando las palabras de Isaías (66,10): «Alegraos con Jerusalén, regocijaos por ella, todos los que su duelo soportáis»[40].

De igual interés es la todavía rica policromía de la obra, en parte, fruto de la intervención del pintor Crispín Evelino en 1651, si bien una limpieza en el tímpano central dirigida por Carmen del Valle en 1993 dio como resultado la aparición de numerosas capas de policromía medieval, visibles en el empleo de pan de oro en rostros, motivos vegetales y fondos, así como de azules y verdes en los ropajes. El uso de estos colores refulgentes, destinados a potenciar el efecto de una imaginería que quería ser una representación de la gloria celeste, constituye un apoyo más a la conocida tesis de la influencia de la corriente bizantinizante de finales del siglo XII en el taller del Maestro Mateo y la no menos contundente afirmación de M. Stockstad que define dicho portal como un «icono en el espacio».

---

[39] S. Moralejo, *El 1 de abril de 1188. Marco histórico y contexto litúrgico en la obra del Pórtico de la Gloria,* en *El Pórtico de la Gloria. Música, arte y pensamiento,* Univ. Santiago, Santiago 1988, 19-36, espec. 24.

[40] *Sicardi Cremonensis Mitrale,* PL 213, ed. J-P. Migne, París 1855, col. 272 (Turnhout 1981).

Para lograr recomponer el efecto original que el Pórtico de la Gloria produciría en los espectadores es necesario partir de dos premisas: su posición elevada, ya que a él se accedía bien mediante escaleras exteriores bien a través de la escalinata interior de la cripta, y la apertura exterior de dicho nártex. Tal y como ha demostrado S. Moralejo, abunda en la catedral de Santiago una lectura simbólica de la arquitectura, siendo buena prueba de ello este cierre occidental a modo de *Westwerk,* en el que se ha querido evocar la Jerusalén Celeste. De ahí que su cripta se decorase con dos claves de bóveda con el Sol y la Luna, que las tres puertas exteriores de Pórtico estuviesen siempre abiertas y que el cenit de la tribuna se coronase con un *Agnus Dei*[41]:

> «La ciudad no había menester ni de sol ni de luna que la iluminasen, porque la gloria de Dios la iluminaba, y su lumbrera era el Cordero. A su luz caminarán las naciones, y los reyes de la tierra llevarán a ella su gloria. Sus puertas no se cerrarán de día, pues noche allí no habrá, y llevarán a ella la gloria y el honor de las naciones» (Ap 21,23-26).

[41] Id, *La imagen arquitectónica de la catedral de Santiago,* en *Il Pellegrinaggio a Santiago de Compostela e la letteratura Jacopea* (Perugia 1983), Perugia 1985, 37-61.

Ese mismo simbolismo estaba precisamente recogido en el sermón *Veneranda Dies* del *Códice Calixtino* (I, 18), compilado tan sólo unos años antes en Santiago (ca. 1160):

> «Las puertas de esta basílica nunca se cierran, ni de día ni de noche; ni en modo alguno la oscuridad de la noche tiene lugar en ella, pues con la luz espléndida de las velas y cirios, brilla como el mediodía».

Siguiendo esa misma idea, basta con imaginar el efecto resplandeciente que provocarían los rayos de sol al atardecer sobre la originaria superficie dorada de los relieves de poniente. Cobraría con ello pleno sentido el invocado simbolismo del templo como imagen de la Jerusalén Celeste, la ciudad destinada a los justos, que disfrutan ya junto a Cristo de su prometida recompensa. Todo el empeño puesto por los arzobispos compostelanos en dotar a su iglesia de objetos preciosos y decorarla pictóricamente con esmero responde, en efecto, a la vieja concepción neoplatónica de la obra de arte como poseedora de cualidades divinas. Nadie mejor que el abad Suger de Saint-Denis supo entender y plasmar en sus empresas artísticas la idea de que el resplandor y la luz de los objetos materiales podían ayudar a los fieles a elevarse hacia el mundo de las virtudes celestiales, por medio de lo que él llama *via anagogica*. Los versos que mandó grabar en la puerta de su iglesia podían servir de perfecto comentario a la intención que se esconde detrás de la ornamentación de la basílica compostelana:

> «Luminoso es este noble trabajo, pero
> noblemente luminoso,
> iluminará las mentes a fin de que hallen la
> gracia de las luces verdaderas,
> hacia la Verdadera Luz, de la que Cristo es
> la verdadera puerta»[42].

El conjunto del Pórtico no es ajeno a la estética medieval, en su dialéctica entre materia y espíritu. La cartela que exhibe Jeremías parece casi un aviso al espectador: «OPUS ARTIFICUM UNIVERSA» («Todo obra de artífice»). ¿Vanidad del artista o más bien una invitación a no dejarse persuadir por el engaño de lo material? No hay que olvidar que el texto ha sido tomado de un pasaje de Jeremías (10,9) en el que este opone la verdad de Yavé a la falsedad de los ídolos. Es como si se quisiera advertir al visitante del peligro que entrañaba dejarse persuadir por un arte tan realista y suntuoso como el que se exhibía en el Pórtico. Pero, justo enfrente de Jeremías, Juan

[42] Suger, *Liber de rebus in administratione sua gestis* (1144-1145, 1158-1159), en J. Yarza (ed.), *Fuentes y documentos para la historia del arte* III: *Arte medieval* II, Barcelona 1982, 34.

abre su libro para aportarnos el verdadero camino de la contemplación: «VIDI CIVITATEM SANCTAM HIERUSALEM DESCENDENTEM DE CAELO A DEO» (Ap 21,2). Dicho texto ha llevado a Y. Christe a reafirmar la interpretación de toda la estructura del Pórtico como una evocación de la Jerusalén Celeste a la manera de un *Westwerk* carolingio como el de Corvey, en donde se lee la siguiente inscripción: «CIVITATEM ISTAM/ TU CIRCVNDA DNE/ ET ANGELI TVI CUSTODIANT MVROS EIVS»[43]. La metáfora adquirió pleno sentido durante la solemne consagración de la basílica compostelana el 11 de abril de 1211, jueves de la tercera semana de Pascua, en la que se cantaban en el Oficio divino los responsorios compuestos a partir del Apocalipsis[44]. Incrustadas en los muros, doce cruces marmóreas, símbolo de las doce puertas de la Jerusalén Celeste (Ap 21,21), conmemoran el rito, leyéndose en una de ellas, situada en el brazo sur del transepto, el título de «Templa David».

En esta arquitectura «habitada» los relieves, al convertirse casi en estatuas de bulto, parecen vivos. A ello contribuye además la variación de sus fisionomías, caracteres y gestos, los cuales anuncian un lenguaje innovador que dará inicio a una nueva época.

---

[43] Y. Christe, *L´Apocalypse de Jean. Sens et développements de ses visions synthétiques*, París 1996, 169, 179.

[44] P. Romano Rocha, *La liturgia de Compostela a fines del siglo XII*, en *Actas del simposio internacional sobre «O Pórtico da Gloria»*, 397-410, espec. 397.

Daniel, con su rostro adolescente y su ingenua sonrisa, contrasta con la figura a la que da la espalda, un anciano y grave Isaías. Esta humanización de los altorrelieves tuvo que producir un gran efecto en el espectador, el cual no estaba acostumbrado a que la arquitectura lo envolviese y menos a que las figuras hablasen entre sí en una *sacra conversazione* que no sólo los unía contiguamente por parejas, sino que incluso establecía diálogos a distancia que englobaban el propio espacio del visitante. Es cierto que en el soberbio portal de San Pedro de Moissac, ca. 1120-1125, el espectador se sentía envuelto en un espacio polifónico, en el que la cercanía de los relieves

El profeta Daniel, con gesto sonriente, es una de las figuras más reproducidas y admiradas del Pórtico.

infernales, consecuencia de la historia del rico Epulón y el pobre Lázaro, se unía a la historia de la infancia de Cristo, todo ello bajo la terrible mirada de un Pantocrátor entornado por serafines, el tetramorfos y los acompasados gestos de los 24 ancianos del Apocalipsis. De un modo similar en Beaulieu, ca. 1150, la imagen del Juicio Final con la comparecencia de los ángeles con los *arma Christi* tenía continuación a ambos lados del portal a través de los relieves de Daniel en el foso de los leones y de las tentaciones de Cristo. En el Pórtico, la fórmula elegida no es la de estos portales con «brazos» esculpidos del románico francés, sino la de un pórtico figurado en sus elementos columnarios. Dicho esquema, que como tipología arquitectónica tiene su origen en Borgoña, concretamente en La Magdalena de Vézelay, ca. 1120, cuenta a su vez un precedente en la escuela hispano-tolosana, concretamente en la articulación del interior de la sala capitular de Saint-Étienne de Toulouse, donde Gilabertus realiza, entre 1125 y 1135, un magnífico espacio compuesto por doce apóstoles repartidos en parejas en cada uno de los pilares, los cuales parecen establecer cierto diálogo gestual y visual con su compañero. La grandeza mateana es la de haber sabido aplicar esta solución tolosana a la estructura de un pórtico abierto de filiación borgoñona. La pervivencia de la fórmula de Gilabertus, en una escultura más refinada, se encuentra en la misma época en la Cámara Santa de Oviedo, donde, siguiendo seguramente conquistas mateanas, los apóstoles establecen un dialógo gestual y visual mucho más estrecho. Del mismo modo, *sotto voce*, la serie estatuaria del Pórtico parece inmune a nuestra presencia, de manera que el espectador ante la contemplación de la obra se siente a veces inquieto, molesto y hasta temeroso:

> «Santos e apóstoles –¡védeos!– parece
> que os labios moven, que falan quedo
> os uns cos outros, e aló na altura
> do ceu a música vai dar comenso,
> pois os grorioros concertadores
> tempran risoños os instrumentos»[45]

De ahí que la propia Rosalía de Castro no dude en hacerse una pregunta retórica que, de algún modo, resume una de las preciosas conquistas mateanas, el naturalismo, que tuvo que ser todavía más impactante a los ojos de los peregrinos de fines del siglo XII, pues anunciaba una vía que todavía tardaría en fructificar en Europa:

> «¿Estarán vivos? ¿Serán de pedra
> aqués sembrantes tan verdadeiros,
> aquelas túnicas maravillosas,
> aqueles ollos de vida cheos?

[45] Rosalía de Castro, *Na catedral*, en *Follas Novas, Poesías*, Vigo 1973, 177.

La poetisa nacional gallega llega incluso a recrear en su percepción de los monstruos de los relieves del zócalo una descripción propia de la semiótica que se adelanta cien años a la que Umberto Eco pone en boca de Adso de Melk en *El nombre de la rosa:*

> «¡Cómo me miran eses calabres!
> ¡aqueles deños!
> ¡Cómo me miran, facendo moecas
> dende as colunas onde os puxeron!
> ¿Será mentira, será verdade?
> ¡Santos do ceo!,
> ¿saberan eles que son a mesma
> daqueles tempos...?
> (...) ¡Cómo me firen!...Voume, sí, voume,
> ¡que teño medo!».

6. Textos para la fortuna del Pórtico de la Gloria

La descripción de Mártir, obispo armenio

El obispo armenio Mártir, nacido en Arzendján y residente en la ermita de San Ciríaco de Norkiegh, realizó un largo viaje (1489-1496) a través de Italia, Alemania, Flandes, Francia y España, con el objeto de visitar la tumba del santo príncipe de los apóstoles.

El Cristo mostrando las llagas preside el tímpano del Pórtico de la Gloria.

En su periplo da abundantes noticias sobre los lugares mostrando a su vez una especial sensibilidad hacia la descripción de obras de arte: tumba de los Reyes Magos en Colonia, fachada occidental de Notre-Dame de París y puertas de la catedral de Santiago. En estas últimas el autor comete algunos errores de orientación, al llamar puerta oriental al Pórtico de la Gloria, si bien la interpretación que ofrece del programa iconográfico de dicho conjunto es plenamente satisfactoria:

> «Encima de la puerta oriental se ve el Cristo sentado en un trono, con la representación de todo lo que ha acontecido desde Adán y de lo que ha de suceder hasta el fin del mundo, todo ello de una belleza tan exquisita que es imposible de describir» (J. García de Mercadal, *Viajes de extranjeros por España y Portugal* I: *Desde los tiempos más remotos hasta fines del siglo XVI,* Madrid 1952, 424-425).

La intervención del pintor Crispín de Evelino

En el año 1651 se le paga al pintor Crispín de Evelino 130 ducados «por pintar y encarnar las caras, pies y manos de las figuras que están en la portada principal desta Sta. Iglesia que llaman de la Trinidad y las del pilar de mármol en que está la descendencia de Nra. Señora y la Sta. Beronica» (E. H. Buschbeck, *Der Pórtico de la Gloria von Santjago de Compostela,* Berlín-Viena 1919, 9).

El texto da algunas pautas interesantes para la historia del conjunto. En primer lugar, la intervención de Crispín de Evelino parece haberse ceñido tan sólo a las carnaciones de caras, pies y manos de las figu-

Dibujo de la columna del parteluz.

ras de la portada y del parteluz en un posible interés por hacer más vivas las estatuas dentro de una estética naturalista barroca. No se habla de ropajes ni de cartelas, en los cuales todavía hoy es posible apreciar restos pictóricos medievales: técnica del pan de oro bizantino en el tímpano, introducida en Occidente a fines del siglo XII, colores azules y verdosos y letras góticas en las cartelas. En segundo lugar, se ofrece un nombre para el Pórtico que no corresponde con el usado desde el siglo XIX. Se habla así de la «portada que llaman de la Trinidad» en función del tema de la Trinidad *Paternitas* que corona la columna del parteluz. Por último, en tercer lugar, se lee la decoración del pilar como la «descendencia de Nuestra Señora» (¿ascendencia?) y se hace una referencia a la representación de la Verónica, la cual es quizá fruto de una errónea interpretación de uno de los andróginos ángeles con la mano velada que entornan la figura de María en la columna y que vuelve a traslucir el ambiente barroco de la época en la que dicha iconografía gozó de tanta veneración.

La consagración del Pórtico de la Gloria como obra maestra de la historia del arte

Matilde Mateo Sevilla *(El Pórtico de la Gloria en la Inglaterra victoriana. La invención de una obra maestra,* Santiago de Compostela 1991) ha estudiado el papel desempañado por Inglaterra en el redescubrimiento del arte medieval hispano y en la consagración del Pórtico de la Gloria como obra maestra de la historia del arte universal. El párrafo dedicado al conjunto por R. Ford en su guía de viajes *(A Handbook for Travellers and Readers at Home,* Londres 1847, 677) —y la ampliación del mismo en posteriores reediciones—, el vaciado realizado para el South Kensington Museum en 1866 y la publicación en 1868 por la Arundel Society de una selección de las fotografías tomadas por Thurston Thompson de la catedral de Santiago, en la que el Pórtico de la Gloria aparece muy representado, marcan un proceso de difusión y progresiva adquisición de prestigio por parte de la obra del Maestro Mateo. El extenso y laudatorio comentario que le dedica G. E. Street en *Some Account of Gothic Architecture in Spain* (Londres, 1865, 1869) habla por sí solo del estatus adquirido entonces por el monumento compostelano:

> «Llega el momento de decir algo sobre lo que, para un arquitecto, constituye la principal excelencia de aquel noble santuario, a saber: su grandioso ingreso occidental, con razón llamado el Pórtico de la Gloria; y yo, con no escasa experiencia para garantizar mis asertos, con plena conciencia, además, de lo temerarios que son los juicios laudatorios demasiado generales, no puedo menos que fallar que la creación del Maes-

tro Mateo en Santiago constituye una de las mayores glorias del arte cristiano. No es muy grande en su escala; pero todo lo demás es, en absoluto, admirable, rebosando tal frescura y originalidad toda su decoración que no hay peligro de excederse en los elogios. Si reflexionamos sobre los hechos que ya conocemos apreciaremos mejor tan grandes méritos. Podemos suponer que el Maestro Mateo sobresaldría ya en su arte cuando el rey le envió a Santiago, con especial nombramiento y explícitos elogios. Desde entonces hasta el feliz momento en que, tras veinte años de incesante tarea, pudo grabar su inscripción en el dintel de la portada, es de suponer que el artista labrase su gran obra, lenta, pero sistemáticamente. Durante tan dilatado espacio de tiempo no se le presentarían muchas ocasiones para estudiar obras análogas allí cerca, ni tampoco de experimentar el menor estímulo por la competencia de otros maestros en su arte; toda la obra revela, a mi juicio, que tal fue su historia; existe en ella, hasta cierto punto, conformidad con las prácticas y precedentes ya establecidos; pero, a la vez, respira frescura y originalidad en todas sus partes; todo lo cual me parece revelar que aquel escultor no solía ver obras análogas mientras daba cima a la suya. Casi todas las figuras adoptan actitudes evidentemente estudiadas con el propósito de dotarlas de vida y de intención, actitudes que huyen resueltamente de lo convencional, y que, aunque no siempre resulten satisfactorias al gusto de nuestros contemporáneos, ofrecen toda una gracia y un interés casi siempre ausentes de las producciones escultóricas del siglo XIX, y que además (contrastando poderosamente con lo que en nuestros tiempos sucede casi invariablemente), no cabe duda de que nos encontramos ante una obra esculpida toda, directa y absolutamente, por el maestro, y no meramente hecha con arreglo a un diseño, cuya ejecución se relega a un grupo de ayudantes anónimos y mal pagados.

El detalle de algunos pormenores de la obra, como, por ejemplo, los fustes cubiertos de escultura, ostenta, en su bellísima ejecución, refinamiento y delicadeza no comunes, así como una singular apreciación en algunos extremos de las cualidades más relevantes de la escultura clásica.

(...) El parteluz es de mármol, cubriéndole por completo la representación esculpida del Árbol de Jesé. Su detalle es tan delicado y caracteriza tan bien la obra toda, que doy un dibujo de un trozo; nada puede verse más lindo o más gracioso que sus diseños, siendo de admirar la ejecución (...). La arquivolta constituye, quizá, el rasgo más extraordinario de toda la obra, porque contiene las figuras sedentes de los veinticuatro ancianos, dispuestas radialmente, de un modo por completo original y de gran efecto. El arte y la fantasía desplegados en el tratamiento de aquella muchedumbre de figuras están por cima de todo elogio, desprendiéndose cierto bárbaro esplendor de la profusa riqueza de la obra, que es maravillosamente atractiva. Quedan por doquier restos de la antigua y delicada coloración que cubría la escultura y que bastan para comunicar una hermosa entonación de toda la obra (...). La composición, en conjunto, es realmente un Juicio Final, tratado de un modo nada convencional; el punto más criticable de ella es, quizá, la especie de igualdad que el escultor concedió a las figuras del Salvador y del apóstol Santiago, sedentes ambas y colocadas en la línea central; y aunque la figura del apóstol está debajo de la de su Maestro, resulta, sin embargo, la más conspicua de las dos» (G. E. Street, *La arquitectura gótica en España,* Madrid 1919, 169-172).

Del ángel arrodillado al Santo dos Croques

En su *Historia de una cabeza* (1850), el escritor compostelano Antonio Neira de Mosquera narraba, en forma novelada, las vicisitudes de un Maestro Mateo que tras autorretratarse en la Gloria, ofreciéndole una columna al Señor, es obligado por el arzobispo a transformarla y mostrar su arrepentimiento representándose humildemente, a los pies de su obra, de rodillas y mirando al altar mayor (M. MATEO SEVILLA, *El descubrimiento del Pórtico de la Gloria en la España del siglo XIX*, en *Actas del Simposio Internacional «O Pórtico da Gloria e a arte do seu tempo»* [Santiago de Compostela, 3-8 de octubre de 1988], A Coruña 1991, 460-461). Posteriormente, José Villaamil y Castro realizará un sistemático y pormenorizado estudio del conjunto en el que, si bien niega ciertos detalles novelescos de Neira de Mosquera (autorretrato con columna), refrenda su parangón con la *Divina comedia* de Dante (Purgatorio-Gloria-Infierno) así como la presencia de un autorretrato de Mateo a los pies del Pórtico:

> «En el arco central se representa la Gloria, en el del lado septentrional el Purgatorio, y en el meridional el Limbo y el Infierno» (J. VILLAAMIL Y CASTRO, *Descripción histórico-artístico-arqueológica de la Catedral de Santiago,* Lugo 1866, 96).

> «Un ángel arrodillado y de perfil levanta en sus manos como presentándosela al Salvador, la *columna,* uno de los emblemas de la sagrada pasión.
>
> Ha sido muy general la creencia de que esta figura representaba al arquitecto Mateo, ofrecien-

do al Salvador la columna como atributo o enseña de arquitectura. La circunstancia de estar este ángel, cuyas alas se reconocen claramente, en distinta actitud que los siguientes (por no permitir otra cosa su colocación bajo el arranque del arco), hizo nacer esta idea, en la que halló vasto campo para sus carprichosas creaciones Neira de Mosquera» (J. Villaamil y Castro, *o.c.*, 98).

Por otra parte, la célebre interpretación de Mateo como Santo dos Croques no impide que J. Villaamil rescate la tradición popular que denominaba a la figura «Santiña da Memoria» y la relacione con la nota marginal del *Códice Calixtino* que la identificaba con la «mujer llamada Compostela»:

> «El Santo dos Croques es el nombre que da el vulgo a la estatua arrodillada que está arrimada al parteluz del pórtico dando frente al altar del trascoro. Llámesela así por la superstición de llevar los niños a tocarles o golpearles la cabeza contra la de esa estatua, en la creencia de que con ello adquirirán gran desarrollo sus facultades intelectuales.
>
> También se le ha llamado la *santa* o *santiña* de la memoria.
>
> Con esto último quizá tenga relación el contenido de una nota puesta al margen del ejemplar Libro Calixtino de la Catedral (fol. LXXVI, Lib. I,

cap. XVII), que dice: *de muliere nomine compostela cujus imago est in poste ad caput petri moniz archiepiscopi,* aludiendo al sepulcro que estaba allí.

Con la diestra se golpea el pecho. "Está imberbe, con la cabellera espesa y rizada, y viste túnica de delgada y flexible tela, y encima un no holgado manto sujeto sobre el hombro derecho por una muletilla hecha de un rollito de piel".

En una piedra enclavada en el pedestal de la columna, y a la altura del hombro derecho de Mateo, están grabados "FEC[it]". En el tarjetón que sostiene con la mano izquierda, antiguamen te, según algunos, estaba escrito ARCHITECTUS» (J. Villaamil y Castro, *La catedral de Santiago. Breve descripción histórica con planta y un diseño iconográfico,* Madrid 1909, 85-86).

Parangón entre Platerías y el Pórtico de la Gloria

Los elogios alcanzados por el Pórtico de la Gloria en la historiografía artística de la segunda mitad del siglo XIX no impidieron que la otra gran puerta me dieval de la catedral, Platerías, fuese adquiriendo progresivamente un prestigio que acabaría por conver-

Fachada de Platerías.

tirla en otro monumento señero del arte medieval. Con un atinado criterio histórico-artístico, A. López Ferreiro hizo en 1892 una comparación entre ambas portadas compostelanas con el objeto de señalar la evolución del arte entre los siglos XI y XII, apuntando a su vez el carácter pionero de algunos relieves de Platerías en su papel de precursores del estilo de Mateo. Tal apreciación se convirtió en un lugar común en los estudios del siglo XX sobre el Pórtico, tal y como puede constatarse en los trabajos de J. M. Pita Andrade, G. Gaillard y M. Ward:

> «Estos dos monumentos [Platerías y el Pórtico de la Gloria] son dos testimonios vivos y fehacientes del curso y progreso del genuino arte hispanocristiano en los siglos medios. Por ellos sabemos

El Pórtico de la Gloria.

que aquí el arte, en estas regiones, desde fines del siglo XI hasta fines del siguiente, adelantó a pasos de gigante (...).

Mas en el Pórtico de la Gloria si la composición es grandiosa, la armonía y el concierto de todos los detalles es admirable: si los tipos cambian como varían los semblantes de las personas que encontramos a nuestro paso, y las actitudes tan diversas, no por eso se turba, ni padece, la unidad de la obra; si el dibujo es correcto hasta donde entonces era posible, el modelado está hábilmente dispuesto y entendido: la fuerza de la expresión no altera la actitud tranquila y serena de los personajes: la animación y la vida que reina en el conjunto se extiende por igual hasta el último detalle.

Lo dicho no obsta para que en la portada de *las Platerías* no haya que reconocer vivísimos destellos de un genio superior. Las estatuas que componen el asunto principal, a saber, la del Salvador, la de Santiago y el relieve de Abrahán, en cuanto a composición y ejecución, son bellísimas, y aun pudieran figurar en el *Pórtico de la Gloria*. Aun en algunos detalles, como las marmóreas efigies empotradas en las puertas o esculpidas en las columnas que sostienen las arquivoltas, se descubren las mismas ráfagas de inspiración y de genio. Mas el arte no había entonces adelantado tanto que tuviese bien madurados y digeridos estos preciosos elementos» (A. López Ferreiro, *El Pórtico de la Gloria, Platerías y otras puertas de la Basílica,* Santiago,1999 135-138 [1ª ed. 1892]).

Un arte naturalista para el disfrute del peregrino

«A pesar del vaciado realizado para el South Kensington Museum, la policromía está todavía en su conjunto bien conservada. Esta peculiaridad acentúa el realismo de las figuras. En el norte de Europa es habitual que el colorido de las estatuas haya sido destruido; si bien uno sospecha que nunca fue tan vívido y naturalista como el que todavía permanece sobre la obra de Mateo. Estas figuras realmente asustan, pues parecen venir hacia nosotros; su efecto puede ser comparado con el producido por ciertos pintores florentinos del Quattrocento como Castagno o Pollaiuolo. Uno se da cuenta de su existencia con extraordinaria facilidad. Ellas anticipan el naturalismo de Claus Sluter.

No estamos aquí ante el simbólico y dogmático arte del Gótico de las catedrales del norte; es mucho más que un buen realismo naturalista no exento de una vena de vulgaridad; un arte que impresionaría rápidamente a las multitudes de paso y no requeriría un concienzudo estudio para apreciarlo. En todo ello es justo ver el punto de vista del peregrino medio con su interés en lo extraordinario, su *bonhommerie* (sic) (bondad), y su, quizás, no demasiado profundo intelecto» (A. K. PORTER, *Romanesque Sculpture of the Pilgirmage Roads* I, Boston 1923, 263 [traducción del autor]).

El Cántico Nuevo

«El tímpano se enmarca con los veinticuatro ancianos apocalípticos, que se preparan para el Cántico Nuevo templando sus instrumentos. La exégesis antigua reconoció en su concierto la conjunción de los dos testamentos, representados por apóstoles y patriarcas o profetas. Las respectivas series estatuarias se enlazan así por su mística imagen en la arcada que entre ambas sustentan, con el *organistrum* como clave que las une. S. H. Caldwell y E. Enrico han llamado la atención sobre otro nombre latino de este instrumento: *symphonia* (zanfonía, zanfoña), que designaba a su vez conceptos como «armonía» o «concordancia». Tañida conjuntamente por los dos ancianos que hacen los números doce y trece de la serie, la *symphonia* viene así a sellar con su propio nombre la perfecta armonía de este concierto a *due cori*» (S. Moralejo, *El Pórtico de la Gloria,* FMR 21 [1993] 44).

Ancianos músicos tocando el organistrum.
Detalle de la arquivolta central del Pórtico.

Mateo y el arte de su tiempo

«Mateo tuvo que haber estudiado personalmente el arte de los pórticos franceses y españoles. El suyo es un arte enciclopédico que no puede explicarse más que aceptando que se trataba de un hombre de una gran capacidad de asimilación no frecuente, de un gran observador y de un genio de ordenación y ejecución. Lo que Mateo nos ha dejado rebasa con mucho los moldes de un simple aprendizaje.

No sería excesivamente aventurado suponer que Mateo estudió detenidamente el arte del camino jacobeo por mandato del mismo arzobispo compostelano. Si este se proponía levantar una portada extraordinaria, si Mateo había dado ya muestras de su habilidad y técnica no podrá extrañar que antes de empezar con la obra, le hayan mandado perfeccionar su arte. Puede causar extrañeza esta suposición (subrayamos que se trata solamente de una suposición), pero el que conozca un poco la vida que germinaba entonces en torno a la silla de Santiago no le parecerá tan fantástica esta hipótesis. En Santiago reside un canónigo que llegará a ser uno de los canonistas más celebres de su tiempo, Bernardo el Viejo, que más tarde encontraría su sitio, muy cercano al mismo Papa, en Roma. El Cabildo frecuentemente concede, por medio de constituciones, licencia a los canónigos para estudiar en París y en Bolonia, el camino está abierto para toda clase de peregrinos.

¿Por qué extrañar que Mateo haya sido enviado a perfeccionar su arte, si el arzobispo pretendía hacer una obra fuera de serie?» (R. Silva Costoyas, *El Pórtico de la Gloria. Autor e interpretación,* Zamora 1999 [1ª ed.: Santiago 1965]).

Un eco tardío del Pórtico de la Gloria: la portada occidental de San Martiño de Noia

La fachada occidental de San Martiño de Noia fue realizada, según la inscripción de la puerta, en el año 1434 bajo el arzobispado de D. Lope de Mendoza, cuyo blasón campea en el tímpano. Según J. Mª Caamaño Martínez, dicho conjunto supone una peculiar interpretación de temas y motivos decorativos del Pórtico de la Gloria en la que se actúa con cierta originalidad. De hecho, el Apostolado se coloca en dos registros y ofrece caracteres propios de la época, tanto en estilo como en iconografía. De entre esas novedades y adaptaciones respecto al modelo compostelano habría que destacar la colocación de un «empequeñecido» Cristo mostrando las llagas en la clave de la arquivolta de los ancianos del Apocalipsis, con la que el contenido musical de la exhibición de las heridas de la Pasión, que ya se anunciaba en el himno de San Bernardo y en el Pórtico de la Gloria, se hace ahora más explícito de acuerdo con la nueva espiritualidad gótica:

«Esta breve revisión de la escultura de las jambas de San Martín de Noya evidencia, a un tiempo los ecos, la distancia, formal e iconográfica que median entre uno y otro Apostolado, entre el de San Martín y el del Pórtico. Y a idéntica conclu-

Detalle de la fachada occidental de San Martiño de Noia.

sión conduce un somero análisis de la escultura del resto de la fachada, comenzando por la decoración del arco apuntado de la puerta. En él, la arquivolta exterior despliega una sucesión de ángeles, en busto, portadores de diferentes objetos (libros, filacterias, incensarios...) e incluye en su arranque la escena de la Anunciación. Y la arquivolta interior agrupa a Cristo mostrando las llagas, en la clave, y a seis figuras sedentes por lado, que portan ya instrumentos musicales, ya a su vez redoma, ya filacteria con inscripción.

Las arquivoltas noyesas marcan, así, también su proximidad y lejanía respecto al Pórtico de la Gloria. El Cristo mostrando las llagas traslada simplemente el motivo —no las formas— del Cristo del tímpano compostelano. De modo semejante, los otros doce personajes sedentes sugieren lejanamente la disposición de los ancianos del Pórtico, pero sin imitarlos, difiriendo totalmente de ellos. Estas figuras sedentes no se limitan además a la representación de los ancianos apocalípticos, sino que incluyen personajes —reyes y profetas— de la Antigua Ley en contacto con la Nueva —Dios encarnado— a través de la Virgen y el arcángel. Precisamente, la Virgen, encinta, responde a una de las modalidades góticas de la anunciación.

En el segundo cuerpo de la fachada se abre el rosetón. En las enjutas se disponen ángeles trompeteros, de nueva evocación compostelana, más de motivo que de tipos. Y en las arquivoltas del rosetón se alternan ángeles y hojas carnosas —de ascendencia mateína—, repitiéndose hacia la clave la efigie de la Virgen, en su glorificación.

En suma, la fachada de San Martín de Noya, que *primo intuitu* puede aparecer como una "copia" del Pórtico de la Gloria, no es tal, sino un eco. No lo pretente copiar, sino evocar, con rasgos que combinan arquitectura y escultura, comunes al interior y exterior del Pórtico de la Gloria. La fachada de San Martín logra un indudable efecto de monumentalidad en su simple deseo de evocación compostelana. En el mecenazgo de D. Lope de Mendoza puede estar la raíz de su prestancia y de su entronque con el modelo compostelano...» (J. Mª Caamaño Martínez, *Pervivencia y ecos del Pórtico de la Gloria en el Gótico gallego*, en *Actas del Simposio Internacional sobre "O Pórtico da Gloria e a arte do seu tempo"* (Santiago de Compostela, 3-8 octubre de 1988), A Coruña 1991, 439-456, espec. 444-445.

GLOSARIO

Ábside: Parte de la iglesia situada en la cabecera. Generalmente tiene planta semicircular.

Arco abocinado: Arco con más luz en un paramento que en el opuesto. Vano abocinado: dícese de cualquier vano cuya anchura aumenta o disminuye progresivamente.

Arquivolta: Cara frontal de un arco. En plural, conjunto de arcos abocinados que forman una portada.

Calendas: En el antiguo cómputo romano y en el eclesiástico, el primer día de cada mes.

Ciborio: Pequeño baldaquino que corona el altar en los antiguos templos cristianos.

Cimacio: Parte superior de una cornisa.

Clave: Dovela central de un arco.

Deambulatorio: (Girola) Pasillo transitable que rodea la parte trasera del presbiterio.

Dintel: Elemento horizontal que soporta una carga apoyando sus extremos en las jambas o pies derechos de un vano.

Dovela: Pieza en forma de cuña cuya parte inferior,

unida a las de sus vecinas, forma el intradós de un arco.

Hastial: Triángulo superior del muro testero de una obra, enmarcado por las vertientes.

Hetimasia: Trono del Juicio en la iconografía bizantina en el que aparece el libro (símbolo de Cristo) y la *crux gemmata* (símbolo de su triunfo). Esta última puede estar acompañada con otros *arma Christi* (corona de espinas, lanza, clavos).

Imaginería: Arte de la talla o pintura de imágenes sagradas.

Intradós: Superficie interior de un arco, bóveda o dovela.

Jamba: Pieza labrada vertical que sostiene un dintel.

Lignum Crucis: Madero de la cruz.

Machón: Pilar de obra maciza.

Mandorla: Óvalo o marco almendrado que circunda a Cristo en majestad especialmente en el arte románico.

Maravedí o morabetino: Pequeña moneda almorávide de plata.

Mocheta: Ménsula que forma parte de la jamba de la puerta y que sirve para sustentar el dintel. Normalmente está figurada.

Nártex: Parte porticada del atrio de las basílicas paleocristianas reservada a los catecúmenos.

Óculo: Pequeña ventana en forma de «O».

Pan de oro: Lámina muy fina de oro que se aplica a ciertas superficies para revestirlas de ese metal.

Parteluz: Elemento vertical que divide la luz de una puerta o ventana.

Pretil: Murete o vallado de piedra protector de un puente o plataforma.

Tetramorfos: Conjunto de los símbolos de los cuatro evangelistas: hombre (Mateo), león (Marcos), buey (Lucas) y águila (Juan).

Tímpano: Espacio delimitado por el dintel y las arquivoltas en la portadas de las iglesias.

Toro: Moldura semicircular cóncava.

Transepto: (Crucero) Nave transversal de una iglesia que forma los brazos de la cruz latina.

Trépano: Ornamentación a base de horadar la piedra con un instrumento llamado «trépano».

Vano: Hueco.

Zócalo: Superficie salediza en la parte inferior de la obra, en forma de faja corrida y estrecha, que puede estar figurada.

Zócalo del Pórtico de la Gloria.

Bibliografía

AA.VV., *Actas del simposio internacional sobre «O Pórtico da Gloria e a arte do seu tempo»*, (Santiago de Compostela 3-8 octubre de 1988), A Coruña 1991, en especial D'Emilio J., *Tradición local y aportaciones foráneas en la escultura románica tardía: Compostela, Lugo y Carrión*, 83-101; Mariño B., *El Infierno del Pórtico de la Gloria*, 383-398; Puente Míguez J. A., *La fachada exterior del Pórtico de la Gloria y el problema de sus accesos*, 117-142; Stokstad M., *Forma y fórmula: reconsideraciones sobre el Pórtico de la Gloria*, 181-197.

Buschbeck E. H., *Der Pórtico de la Gloria von Santjago de Compostela*, Berlín-Viena 1919.

Conant K. J., *The Early Architecture History of the Cathedral of Santiago de Compostela*, Cambridge, Mass., 1926.

Chamoso Lamas M.-González V.-Regal B., *Galicia*, Encuentro, Madrid 1989 (ed. fr. 1973).

Christe Y., *L'Apocalipse de Jean. Sens et déve-*

loppements de ses visions synthétiques, París 1996.

D'Emilio J., *The Building and the Pilgrims' Guide,* en Williams J.-Stones A. (eds.), *The Codex Calixtinus and the Shrine of St. James,* Tubinga 1992, 89-103.

Fatás G.-Borrás G. M., *Diccionario de términos de arte, elementos de arqueología, heráldica y numismática,* Alianza, Madrid 1997[10].

Gaillard G., *Le Porche de la Gloire à Saint-Jacques de Compostelle et ses origines espagnoles,* en Cahiers de Civilisation Médiévale I (abril 1958) 465-473.

Gómez Moreno J. M., *El arte románico español. Esquema de un libro,* Madrid 1934.

López Ferreiro A., *El Pórtico de la Gloria, Platerías y el primitivo altar mayor de la catedral de Santiago,* Santiago 1999 (1892).

Luengo F., *Los instrumentos del Pórtico,* en *El Pórtico de la Gloria. Música, arte y pensamiento,* Univ. Santiago, Santiago 1988, 75-118.

Mateo Sevilla M., *El Pórtico de la Gloria en la Inglaterra victoriana. La invención de una obra maestra,* Min. Cultura Santiago 1991.

Moralejo S., *Notas para una revisión de la obra de K. J. Conant,* en K. J. Conant, *Arquitectura románica da catedral de Santiago de Compostela,* COAG, Santiago 1983, 221-236; *La imagen arquitectónica de la catedral de Santiago,* en *Il Pellegrinaggio a Santiago de Compostela e la letteratura Jacopea* (Perugia 1983), Perugia 1985, 37-61; *Le Porche de la Gloire de la cathédrale de Compostelle: problèmes de sources et d'interpretation,* en *Les Cahiers de Saint-Michel de Cuxa* 16 (1985) 92-116; *El 1 de abril de 1988. Marco histórico y contexto litúrgico en la obra del Pórtico de la Gloria,* en *El Pórtico de la Gloria. Música, arte y pensamiento,* Univ. Santiago, Santiago 1988, 19-36; *El Pórtico de la Gloria,* FMR 21 (marzo 1993) 29-46; *O Portico da Gloria contado a mozos e nenos,* Xerais Galicia, Vigo 1988.

Ocón Alonso D., *El renacimiento bizantinizante de la segunda mitad del siglo XII y la escultura monumental en España,* en *Viajes y viajeros en la España medieval,* Actas del V Curso de Cultura Medieval celebrado en Aguilar de Campoo (Palencia 20-23 de septiembre de 1993), Madrid 1997.

Pita Andrade J. M., *Un capítulo para el estudio de la formación artística del Maestre Mateo. La huella de St. Denis,* Cuadernos de Estudios Gallegos XXIII (1952) 371-383; *Varias notas para la filiación artística del Maestre Mateo,* Cuadernos de Estudios Gallegos XXXI (1955) 373-403.

Porter A. K., *La escultura románica en España,* Barcelona 1928.

Roulin E. A., *Le Porche de la Gloire à la cathédrale de Saint-Jacques de Compostelle,* Revue d´Art Chrétien, IV Série, VI (1895) 139-145.

SILVA COSTOYAS R., *El Pórtico de la Gloria. Autor e interpretación,* Santiago 1999 (1965).

VILLAAMIL Y CASTRO, *Descripción histórico-artístico-arqueológica de la catedral de Santiago,* Lugo 1866; *La catedral de Santiago. Breve descripción histórica con planta y un diseño iconográfico,* Madrid 1909.

WARD M., *Studies on the Pórtico de la Gloria at the Cathedral of Santiago de Compostela,* New York University, Nueva York 1978.

YARZA LUACES J., *El Pórtico de la Gloria,* Cero ocho, Madrid 1984.

YZQUIERDO PERRÍN R., *La fachada exterior del Pórtico de la Gloria: nuevos hallazgos y reflexiones,* Abrente 19-20 (1987-1988) 7-42.

ÍNDICE

Págs.

1. Una llamada al espectador 5
2. El autor y su obra 16
3. El programa iconográfico: las imágenes y sus textos 23
4. Internacionalismo y compostelanismo en la obra del Pórtico 41
5. La función de la obra 51
6. Textos para la fortuna del Pórtico de la Gloria 60
   - La descripción de Mártir, obispo armenio .. 60
   - La intervención del pintor Crispín de Evelino 62
   - La consagración del Pórtico de la Gloria como obra maestra de la historia del arte 64
   - Del ángel arrodillado al Santo dos Croques 68
   - Parangón entre Platerías y el Pórtico de la Gloria 71
   - Un arte naturalista para el disfrute del peregrino 74
   - El Cántico Nuevo 75
   - Mateo y el arte de su tiempo 77

Págs.

Un eco tardío del Pórtico de la Gloria: la portada occidental de San Martiño de Noia . 78
Glosario 83
Bibliografía 87

Biblioteca Jacobea

1. El apóstol Santiago

Manuel A. Castiñeiras

La influencia del Camino de Santiago en la forja cultural europea y en la unidad del continente es algo aceptado por todos. Sin embargo, en muchas ocasiones se olvida al personaje y las tradiciones que han impulsado este acontecimiento histórico. Conocer las tradiciones, la historia, la ficción y la realidad acerca del Apóstol y del hallazgo de su sepulcro, contribuye a conocer mejor el fenómeno del Camino y la propia identidad cultural europea.

2. La ciudad del Apóstol

C. García Costoya

Compostela es mucho más que un lugar geográfico, una ciudad, un santuario; es siempre y definitivamente un destino final, no una parada intermedia. Llegar a Santiago es permanecer siempre en ella; regresar a ella es saber que siempre se ha estado allí. Alcanzar la ciudad por los cuatro caminos, franquear sus puertas y recorrerla, acceder a las cuatro plazas y entrar por fin en la catedral, es haber alcanzado la meta del camino.

3. El Pórtico de la Gloria

Manuel A. Castiñeiras

El Pórtico de la Gloria es punto obligado de referencia para todo aquel que llega a Santiago. No sólo es un conjunto escultórico, sino un documento pétreo del arte románico y la espiritualidad medieval. El naturalismo de sus relieves impacta al visitante y parece envolverlo y hacerle formar parte de su propio espacio, al mismo tiempo que le acerca a la evolución experimentada por el arte y la religiosidad en el siglo XII.

4. Santiago, Europa y América

J. M. Díaz Fernández

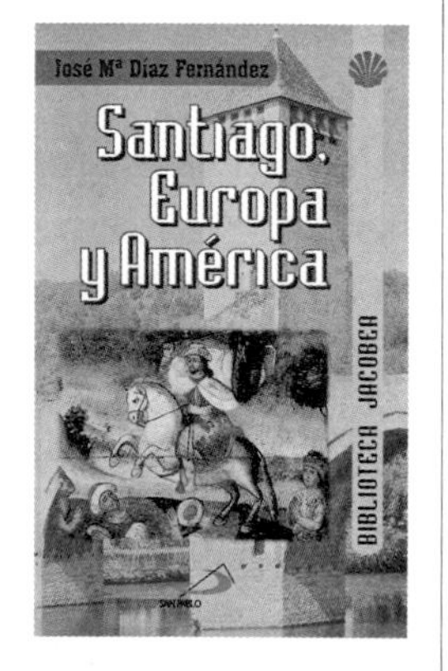

La tradición ha señalado a Santiago como el apóstol que llevó el evangelio hasta el *Finis Terrae,* hasta los confines del mundo conocido. El descubrimiento de su sepulcro originó el nacimiento del Camino de Santiago, un fenómeno cultural y religioso cuya influencia ha dejado huellas patentes en toda Europa. Posteriormente, la estela del apóstol llegó hasta el Nuevo Mundo, en el que alcanzó el patronazgo de naciones y ciudades en todo el continente americano.

Biblioteca Jacobea

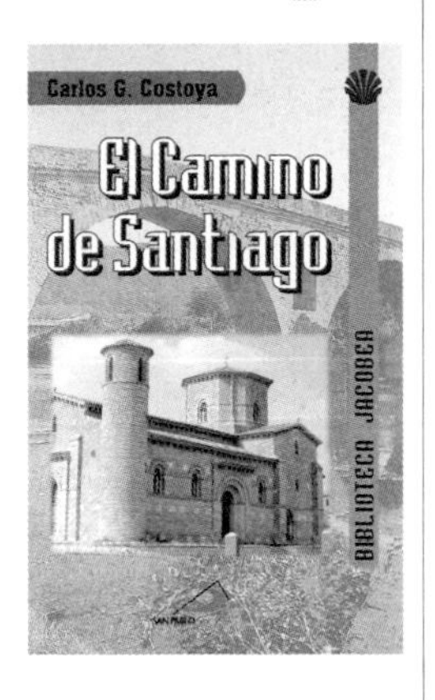

5. El Camino de Santiago

Carlos G. Costoya

El Camino de Santiago, el principal nexo de comunicación e intercambio cultural de la Edad media, se forjó con la aparición del sepulcro del Apóstol y ha pervivido en la memoria y en la tradición popular hasta nuestros días. El Códice Calixtino ya describe con enorme precisión las etapas de lo que conocemos por Camino francés, en el que podemos encontrar una de las mejores muestras de arte e historia de toda Europa.

6. Las peregrinaciones jacobeas

Carlos G. Costoya

Peregrinar es mucho más que recorrer un camino. Es una actitud que obedece a una fundamentación y que persigue unos objetivos específicos. No obstante, el fenómeno de las peregrinaciones, y en concreto las peregrinaciones jacobeas, ha sufrido una evolución a lo largo de la historia que es preciso conocer para comprender mejor su naturalcza y adaptar la actitud del peregrino al tiempo presente.